이별보관소

KB075538

한희

https://brunch.co.kr/@haniroad

인생의 모든 경험치와 남은 열정을 다해 의미 있는 글을 나누고 싶습니다

발 행 | 2024-01-04
저 자 | 한희
펴낸이 | 한건희
펴낸곳 | 주식회사 부크크
출판사등록 | 2014.07.15(제2014-16호)
주 소 | 서울 금천구 가산디지털1로 119, A동 305호
전 화 | 1670 - 8316
이메일 | info@bookk.co.kr

ISBN | 979-11-410-6425-9

본 책은 브런치 POD 출판물입니다.
https://brunch.co.kr

www.bookk.co.kr

이별보관소

한희 지음

CONTENT

돈 이야기는 이별 이야기

다시, 다른 꿈 꾸기

약자인 듯 약자 아닌 약자 같은 그녀와의 이별

40년간 나로 살았던 그것들

이별하고 돌아앉은 당신과 나

말하기 싫었던 그러나 말하고 싶었던

이별하기 참 좋은 계절

첫눈과의 진짜 헤어짐

나 혼자 먼발치서 안녕

당신의 성공을 거절합니다

이혼하지 못하는 그녀

가던 길을 멈추게 하는 그의 죽음

언제 어디서 건
삶의 여정 속에서 나를 떠나갔지만
미처 의미를 알지 못했던 시간들을 돌아보고자 합니다.
그리고 함께했던 시간만큼 예의를 다해 인사하려 합니다.
작은 이별, 큰 이별할 것 없이
지나간 이별을 정리하고 애도하는 것이
새로운 시작을 하기 위한 첫 걸음입니다.
이제부터 세상을 향한 우리의 발걸음은 더욱 단단해 질것입니다.

이별의 성적표

< 들어가며 >

누군가 이별의 성적표를 작성해보라고 한다면 슬며시 떠오르는 사람들이 있다.

어릴 적 한동네에 살았던 코흘리개 친구들을 뒤로하고 서울로 이사 갈 때, 그때였던가. 자꾸만 멀어지던 그 친구는 한자리에 서서 내가 탄 트럭을 정지화면처럼 쳐다보다 희미하게 사라졌다. 그게 아마 내 인생의 첫 이별이었던 것 같다. 이젠 길거리에서 만나도 서로의 변한 모습을 잡아 멈출 수 없을 만큼 시간이 흘렀다.

중학교 1학년 첫 교생선생님은 어떤 가. 이름도 얼굴도 목소리까지 선명한 그 선생님은 우리 반 전부가 기합을 받을 때 앞에서 같이 벌을 받았다. 그녀가 교생실습을 마치고 돌아갈 때 예상대로 교실은 눈물바다가 되었다. 그런데 나는 울지 못했다. 혼자만 울지 않는 존재감으로 그녀의 눈에 띄기라도 바랐던 것일까?

훗날 내가 교생이 되어 중학교 1학년 남학생들과 헤어질 때 나는 나같이 무덤덤해 보이는 친구를 몇몇 발견할 수 있었다. 이별도 처음 해볼 때 어떤 표정을 지어야 할지 모를 수 있다는 사실을 그제야 깨 달았다. 그리고 세월이 흘러 이제 얼굴 한 번도 본 적 없는 이의 알 수 없는 이별일지라도 언제든 가장 빨리 공감하고 울 준비가 되어 있는 나 자신을 보게 된다.

우린 살아오면서 얼마나 이 순간이 헤어짐의 찰나인지도 모르고
뒤돌아서는 순간이 많았던가.

누구나 울지 않았다고 덜 슬프거나 덜 아픈 건 아니었다. 어쩜 그때 그 순간 울지 못했던 사람들은 평생에 걸쳐 눈물을 한 방울 한 방울씩 나누어 흘리는 중일지도 모르는 일이다. 나처럼 천천히 되도록 오래 충분히 이별을 수행하는 사람도 있으니 말이다.

이제 삶의 여정 속에서 나를 떠나간 모든 것들에 조금은 다정한 배려를 해주는 건 어떠 한가? 떠나간 모든 것들에 대해 나누었던 그만큼의 예의를 다해 인사하는 일이 어쩌면 제대로 이별하고 그럼으로써 더 새로운 시작을 알리는 신호가 아닐까?

한 세상을 저버리는 이별이란

< 아버지 왜 그랬어요 >

기다리는 걸 좋아하지 않아서 약속장소에 늘 일찍 도착하는 편이다.

그런데 이 말은 틀렸다.

누구와 어디서 약속을 하건 일찍 도착하기에 결국 더 기다리게 된다.

약속장소에 늦은 적은 거의 없다. 천재지변이 일어나도 가던 중이었다면 대개 두어 시간 전후로 도착한다. 이 강박증은 나이가 들수록 심해졌다. 트라우마 논리에 비추어 봤을 때 이 집착은 그때 그곳에서 시작되었음이 분명하다.

우리 집은 강남 고속터미널에서 아주 가까워 걸어서 갈 수 있었다. 그날은 무슨 이유에선 지 어린 나 혼자 지방에서 돌아오시는 아버지를 마중 나가야 했다. 지금도 기억나는 건 그 넓은 장소에서 너무나 많은 사람들이 하나씩 가방을 들고 단 한 번도 멈추지 않은 채 각자 어딘가로 걸어가고 있었다는 것이다. 나만 멈춘 채 말이다.

어떻게 모두 자신이 가야 할 길을 알고 있을까? 어린 나는 그런 어른이 참 부러웠다. 그들은 마치 고속터미널에서 늘 살아온 사람들처럼 자연스럽고 편안해 보였다. 생각해 보니 그땐 인터넷도 핸드폰도 없었을 때라 다들 고개를 들고 다녔다. 어른들은 절대 누구를 찾는다고 두리번거리거나 어디로 가는 건지 물어보지 않았다. 그 많은 사람들 중에서 아버지를 만났다는 게 신기할 정도로 그곳은 능숙한 어른들의 세상이었다.

아버진 나를 보자마자 반가운 기색은커녕 커다란 짐 가방을 맡기곤 어디론가 바삐 걸어가셨다. 뒷모습이 기억나지 않을 정도로 그는 급했던 듯하다. 그냥 화장실이나 음료수를 사러 가신 줄 알았다. 그리고 그 후로 두 시간이나 더 그는 나타나지 않았다. 태어나 한 자리에 가만히 서서 그렇게 오래 누군가를 기다렸던 적은 그날이 처음이자 마지막이었다. 그때 내가 받은 미션은 아마도 커다란 시계가 있고 몇 번이라 적혀 있는, 혹은 약국이나 매점 앞에서 아버지를 기다리라는 정도였을 것이다. 방향감각이 없었던 어린 나는 혹시라도 잠시 이동을 하면 나를 찾지 못할까 봐 꼼짝 을 할 수 없었다. 안 그래도 작은 내가 앉아 버리면 보이지 않을 것 같아 의자에 앉지도 못했다.

돌처럼 굳어진 내 앞에 아버진 상기된 얼굴로 무언가를 들고 그 자리에 다시 나타나긴 하셨다. 그런데 오래 기다렸지, 미안하다 같은 말씀은 하나도 하지 않으셨다. 눈물이 핑 돌았다. 나의 수고가 너무나 아무렇지도 않은 일처럼 느껴졌다. 하지만 그 순간 화가 나지 않았던 건 아버지의 이상한 표정 때문이었다. 그의 얼굴은 어떤 고통을 꾹 참다못해 그 임계점을 넘어버려 아예 얼굴이 없는 사람처럼 보였 달까.

나는 저만치 서 곱게 차려 입은 여자 한 분이 아버지를 바라보고 있던 장면을 아직도 기억한다. 아버지는 헤어지는 중이었던 것이다. 집 앞에서 아버진 내게 선물을 하나 건네셨다. 바이어가 주는 선물이라고 했다. 어쩐지 처음부터 내 것이 아닌 것 같았다. 특이한 보석으로 만든 기념품 목걸이였다. 나는 그때 일을 살면서 한 번도 입 밖에 꺼내지 않았다. 세월 지나도 알 수는 없지만, 무슨 사연인지 알 수 없는 그의 이별에 가만히 애도를 보내는 수밖에.

그때 그곳에서 그의 표정은 분명 억지로 한 세상을 저버리는 아픈 남자의 그것이었기에.

별 것 아닌데 슬픔이 되는

< 붕어빵을 사는 이유 >

LA 한인타운에 꽤 오래된 붕어빵 가게가 있다. 그 옆엔 김치찌개집이 그 옆엔 치킨집이 있어 갈 때마다 붕어빵을 한 봉지 사게 된다. 어떨 땐 배가 부른 데도 그냥 지나칠 수 없어 사곤 했다. 붕어빵만 보면 마음이 조금 따뜻 해지는 것 같았 달까. 별 것 아닌 것 같은데 참 아련해 지기까지 한다.

학교 앞 사거리에 붕어빵 장사는 추석이 지나면 시작되곤 했다. 요즘은 길 거리 음식이 푸드트럭 으로까지 진화했지만 아직 동네에선 리어카 수준의 노점상을 볼 수가 있다. 세 개 천 원이었는데 맛도 좋고 크기도 커서 아이들 에게 인기 만점이었다. 꼭 내가 아니더라도 누군가를 위해 붕어빵을 사들 고 올 때도 있었다. 그날은 영하 십 오도의 날씨였다. 자동차 엔진 수리를 맡 기고 덜덜 떨며 걸어가던 기억이 난다. 붕어빵 아저씨가 막 마무리를 하던 참이었다.

"이거 가져가서 드세요."

아저씨는 반갑게 뛰쳐나와 붕어빵이 남았다며 그냥 가져가시라고 봉지에 한 무더기 싸 주셨다. 돈을 드리려 하니 절레절레 두 손을 흔드셨다. 레이먼 드 카버의 '대성당'에 나오는 별 거 아닌데 도움이 되는 빵 하나를 손에 든 주인공처럼 나는 울컥하고 말았다. 차가 갑자기 고장 나 짜증도 난 데다가 그 시간까지 아무것도 먹질 못했는데 마땅히 사 먹으러 들어갈 곳도 없었 다. 먹을 걸 건네 주시는 아저씨의 눈과 마주쳤는데 너무나도 커다랗고 선 한 눈망울에 또 한 번 흠칫했다. 그전까지 한 번도 그의 눈을 볼 일이 없었기 때문이다. 그는 거리에서 그저 실루엣으로만 존재했다. 그러다가 또 우연히 그 앞을 지나가는데 어쩐 일인지 붕어빵 아저씨는 보이지 않았다. 방학이라 문을 닫은 것이구나 생각했다. 하지만 근 한 달간 긴 한파와 함께 붕어빵 아저씨를 볼 수가 없었다. 붕어빵이 생활필수품도 아니니 없으면 없는 대로 그의 존재를 잊고 나는 문제없이 잘 살아갔을 것이다. 그를 까마득하게 잊고 살다가 겨울지나 초봄쯤 인가 문을 여신 모습이 포착되었다. 붕어빵을 사 먹으려고 한 건 아니었지만 반가운 마음에 나도 모르게 그동안 왜 문을 안 여셨냐고 물었다.

"하긴 너무 추웠죠"

아저씨는 씩 웃으며 와이프가 세상을 떠났다고 말했다. 주책 맞게도 그 자리에서 눈물이 떨어졌다. 마치 아는 사람이 죽었다는 소식을 들은 것처럼. 하지만 그는 슬픔 따위 모두 잊어버린 듯한 얼굴을 하고 씩씩하게 두 손을 비비고 있었다. 내게 뭘 그런 일로 다 슬퍼하시냐는 눈망울과 함께. 언젠가 내게 남은 붕어빵을 한 무더기 주실 때 '와이프 갔다 드리세요' 했었는데 그때, '하도 먹어서 지겨워 해요', 하고 말했던 그분이 지금은 안 계시다는 이야기가 어찌 슬프지 않냐고 되묻고 싶었다.

그날 씩씩하던 모습을 뒤로 붕어빵 아저씨는 영영 문을 열지 않았다. 아마 다른 동네로 갔을 수도 있고 다른 일을 하고 있을지도 모른다. 어쩌면 다시 붕어빵을 팔아야 할 이유를 찾지 못했을 수도 있다. 이유가 무엇이건 붕어빵 아저씨의 사별은 우리와의 이별을 불러왔다. 나는 그가 내가 그랬던 것처럼 별거 아닌 것 같은 빵 한 조각에 특별한 위로와 용기를 얻을 수 있기를 바라본다. 이별의 허기는 채울 순 없어도 잠시 깜빡하고 잊을 순 있는 것이기에.

지난간 계곡을 그리다

< 내년에 또 가요 >

우리의 여름은 참 진부하고도 습관적이었다. 어쩌면 역사적이기까지 했다. 봄이 되면 '꽃구경 언제가?'를 노래했고 여름이 시작되면 언제 떠나? 어디로 갈 거야? 하는 질문에서 벗어날 수 없었다. 그렇다고 질문처럼 시원하게 답이 마련되어 있지는 않았다. 학교를 졸업하고 직장생활 3,4년 차. 그러니까 앞만 보고 달려가던 그 시기 3박 4일의 여름휴가는 거의 부족한 잠을 보충하는 시간으로 채워지곤 했다.

하지만 그날은 달랐다. 아무런 준비 없이 모자 하나 달랑 쓰고 드라이브 간 곳은 남한산성 계곡이었다. 귀찮고 귀찮고 귀찮았다. 비록 지금으로부터 20년도 더 되었지만 계곡보다 좋은 곳은 천지 일 텐데 이 무슨 컨트리 감성이냐 투덜거렸던 기억이 생생하다.

이런데 와선 발을 담가야 제 맛이라고 먼저 시범을 보인 아버지. 그리고 언제 준비했는지 참외 랑, 수박도 주섬주섬 꺼내던 엄마. 정작 휴가 받은 나보다 두 분이 더 설레어 보였다.

그날 나는 아버지의 정강이를 난생처음 보았다.

무릎 위까지 걷은 바지 아래로 드러난 아버진 생각보다 단단했고 활기찼다. 언제 밀짚모자를 쓰셨는지 그는 잠시 젊어 진 듯 보이기도 했다. 꽤 맑은 계곡 물에 참외 랑 수박을 담그시던 익숙한 손놀림도 기억난다. 색깔도 어찌나 선명하고 야무지고 단정하던지 먹지 않아도 충분히 익어서 상큼할 게 분명했다. 그리고 나는 계곡물이 얼음물보다 차갑다는 걸 그날 알게 되었다. 졸다 끌려 나와 머리끝까지 시원해지던 그 순간은 내 생애 '감각적으로 잊혀지지 않는' 찰나의 순간으로 남았다. 어디선가 불어오던 바람이 얼굴을 스쳐 지나갔고 손과 발이 서로 재잘거리며 물과 부딪히던 소리를 기억한다. 발은 차갑고 손은 분주했으며 머리는 개운했으나 가슴은 더워지던 그날, 그들, 그리고.

"여름도 잠시야."

그날은 우리 세 식구가 소박한 여행을 떠나 아무 말 없이도 웃기만 한 마지막 기록이 되었다. 그날 이후 우린 어디로 떠나지 못했고 떠났다 해도 아무 걱정 없이 웃을 수 없었다. 부모님 하고만 떠난 마지막 여행이 언제였는지 솔직히 정확하게 기억이 나지 않는다. 사람의 기억은 살아가면서 자기 식대로 조금씩 조작되고 편집된다. 그때가 정말 마지막이었나 싶어 곰곰이 따져보니 두어 번 더 있었던 거 같긴 한데 기억날 만한 장면이 도저히 떠오르지 않았다.

그러니 그날이 내겐 마지막이라 저장된 내 기억의 기록인 것이다. 부모님과의 여행은 언제나 이번이 마지막일지 모른다는 생각으로 최선을 다해야 했던 것을. 매번 제대로 이별하고 이별의 기록도 정확하게 간직해야 했음을. 이제 여름도 떠나는 중이다. 그날의 계곡도 이제 조용히 흘러가겠지. 내년 여름에 또 부모님을 소환하기 전까지 말이다.

콘크리트 노스탤지어

< 아무도 다른 추억 만들지 마세요 >

여기가 거기일까.

그곳을 지나갈 때 거의 모든 것이 기억났었다. 하지만 이젠 거의 모든 것이 기억나지 않는다. 사람도 장소도 언제나 같은 자리에 있었던 그 나무들조차도.

339동 406호, 612동 305호, 47동 209호...... 한 시절을 머물렀던 장소가 이토록 분명하게 숫자로 기억되는데 무엇도 증명할 수 없다니. 지금은 존재하지 않지만 그땐 분명히 실존하고 있었던 곳. 새로운 아파트가 들어설 때 왜 전에 있던 우리 집은 무너지고 쓰러져야 했을까. 왜 처음 그 자리에 있던 집은 끝내 사라지고 두 번째, 세 번째 집이 지어져야 하는 걸까. 가끔 그때보다 훨씬 더 높아지고 화려해진 그곳을 지나갈 때 과연 내가 거기 살은 적이 있었던가 의문을 가져본다. 돌아보면 초등, 중등, 고등, 대학교시절 하루의 끝자락에 매일 돌아가야 했을 그곳이었는데 그렇다면 그 많은 왕복 이야기는 어디로 가버린 걸까.

얼마 전에 콘크리트 유토피아라는 영화를 보고 새삼 나의 아파트 주거인생을 돌아봤다. 도시에 산다는 건 그 당시 땅이라고 불린 콘크리트 위에서 그저 왔다 갔다 한 것 일 뿐 그 위에 다른 콘크리트가 덮어지면 도무지 물리적인 삶을 살았다고 할 만한 증거가 하나도 없다. 우리네 아파트 인생은 바람처럼 스쳐갈 뿐일까. 그냥 바람처럼 구름처럼 잠시 통과하는 것이라고 나 떠난 뒤 언제나 다음 번 바람은 불어오는 것이라고 당신도 그 바람을 피해

갈 수는 없는 것이라고.

학교에서 집으로 가던 풍경은 언제나 같았다. 달라지는 변수는 언제나 나보다 앞서가던 친구들뿐이었다.

그래서일까. 집은 야속하게 사라졌지만 말을 걸고 싶었던 친구의 뒷모습과 망설이던 그 순간은 또렷이 기억난다. 헤어지기 싫어 서로의 집 앞까지 데려다 주기 릴레이를 펼친 끝에 아무도 양보하는 이가 없던 그날. 결국 공평하게 다시 학교 앞에서 헤어지기로 한 그날. 다음날도 그 다음 날도 내가 집 앞까지 데려다 주고 조금 더 같이 있고 싶어 했던 그 길목. 하지만 학교 앞이건 친구의 집 앞이건 결국 돌아와야 했던 내 발걸음. 내일이면 또 볼 사람이 확실해도 그 순간만큼은 너무나 아쉬울 수 있다는 간절함을 처음으로 배운 그 거리.

일곱 살 때 부산에서 서울로 이사와 잠실, 반포, 역삼동의 대단위 아파트 단지에서 고등학교까지 마친 나는 거짓말처럼 사라진 내가 살던 집에 대한 그리움이 남다르다.

지금 그 거리를 점령한 화려한 건물들 사이로 아무도 다른 추억을 만들지 않았으면 좋겠다.

아이러니하게도 나는 아홉 살 때 살았던 아파트 그 자리에 새롭게 들어선 건축물로 매일 출근하고 달라진 도로 위에서 높은 빌딩을 바라본다.

그땐 내가 살던 아파트 339동과 앞 동 사이에 꽤 넓은 아스팔트 공간이 있었고 우린 거기서 날마다 땅따먹기, 오징어게임을 하곤 했다. 그러다가 하나둘씩 저녁 먹으러 들어오라는 엄마의 호출을 뒤로 친구들과 아쉬운 안녕을 하곤 했다. 집집마다 고등어 굽는 냄새, 된장찌개 냄새가 나면 그 아스팔트엔 아무도 남지 않았고 우리의 아버지들은 손에 과자 봉지를 하나씩 들고 집으로 들어오셨다. 비록 몇 십 년 된 낡은 건물은 근사한 새 건물로 바뀌었지만 그때 우리가 지나온 시간들은 그 자리에 그대로 영원한 화석처럼 남아 있길 바라본다.

한 번의 실례, 그후

< 엄마, 나는 아니야 >

다 쓰지도 않았는데 자연스레 새것으로 바꾼 적이 있다. 어딘가 고장이 나거나 망가지지도 않았는데 그저 새 모델이 나왔기에 당연히 이전 것을 저버린 것이다. 물론 그렇게 바꾼 새로움은 다음의 새로움이 등장할 때 까지만 새롭다. 언젠가부터 새롭지 않은 모든 것이 마치 나 혼자만 뒤처진 행보로 비칠까 주위를 돌아본 적은 없었던가.

차를 샀었고 헌 차가 되면 새 차로 교체했다. 새 차를 가지고 오는 사람은 헌 차를 가져가므로 내게 남겨진 차는 언제나 새 차 뿐이었다. 그날도 그랬고 몇 년 탄 것 같은 헌 차는 매번 흔적 없이 사라지곤 했다. 새 차를 보면서 풍선같이 부풀어 오르던 일종의 허영심이 한가득 채워지는 순간 헌 차에 대한 일말의 아쉬움은 신기하게도 남아 있지 않았다. 그때 새것 만이 진리라 여겼던 것 같다. 아이가 유치원에 다닐 때였다. 차를 인수받고 기쁜 마음에 제일 먼저 아이를 데리고 지하주차장에 내려왔다. 함께 기쁨을 누리고자 아이에게 우리 차가 바뀌었네? 하면서 흥을 돋웠다. 그런데 아이는 웃기는 커녕 점점 울먹이더니 마침내 자리에 주저앉아 큰 소리로 우는 것이다. 울음소리가 너무나 커서 그 이유가 차 때문이라고 생각지 못할 정도였다. 놀랄 만한 무언가를 본 줄 알고 아무리 주위를 둘러봐도 주차장엔 아이와 나 밖에 없었다. 그리고 처음 본 새 차.

"엄마, 왜 나한 테 말 안 했어?"

아이는 원망스러운 눈빛으로 울먹이며 몇 번이나, 그렇게 말했다. 새 차에

맨 처음 태워주려고 했는데 끝내 아이는 눈길도 주지 않아 모녀 시승식은 보기 좋게 거부당했다. 생각해 보니 아이에겐 태어날 때부터 집처럼 차가 존재했다. 카 시트에 앉아 할머니 집을 오갈 때부터 조금 더 커서 마트나 박물관, 나들이를 갈 때도 항상 그 자리에 앉아 노래를 들었다. 친구 랑 놀이공원을 갈 때도 아빠 랑 여행을 갈 때도 할머니와 외식하러 갈 때도 아이는 그 차 말고 다른 차를 타 본 적이 없었다. 아이에게 차는 본인 짧은 생에 있어 일상에서 분리될 수 없는 침대나 소파, 책상 같은 존재였다. 그리고 태어나 그때까지 살아온 자신의 일생에 가장 많은 추억이 담긴 소중한 공간이었다. 대체 내가 무슨 짓을 한 것일까.

아이가 통곡을 하며 울어버린 그 이유는 사실 내게도 해당되는 일이었다. 이리저리 아이를 태우고 돌아다닌 건 나였기 때이다. 어쩌면 나는 아이의 반을 차에서 키웠는데 무사히 그리고 편하게 아이를 키워준 차를 향해 너무나 큰 실례를 범한 건 아닐까. 그때 내가 제대로 하지 못했던 건 헌 차와의 이별이 아니었다. 아이와 함께했던 그 시간과 소중한 추억들에 한 번도 고마워하지 않았다는 것이다. 그리고 당연히 새것이라고 아이도 좋아할 것이라 여긴 내 속물근성을 한참이나 반성했다. 어떤 이별은 그동안의 추억과 그에 대한 감사이기도 하다. 그때 한 번의 실수로 인해 우리 집안을 꼭 채우고 있던 소파를 오래오래 버리지 못했다.

당신도 나와 같다면

< 나 안 봐도 잘 살고 있죠? >

미국에 출장을 갔다 돌아왔더니 다니던 연습장 카페에 매일 얼굴 보던 매니저 언니가 안보였다. 갈 때마다 밝게 웃으며 내가 잘 먹는 메뉴에 더 신경 썼다고 아는 척을 해주었는데 무슨 사고를 당하여 그만두었다는 말을 들었다. 몰래 그 친구의 쾌유를 빌었다. 산다는 게 참 내일을 알 수가 없어 오늘 만났다고 내일도 같으리라는 보장은 절대 없다는 것이다.

우리 모두에겐 어느 날인가 자주 가던 가게가 나한 테 말도 없이 문을 닫아 버렸던 적이 있다. 손님한테 일일이 이별을 고해야 한다는 법칙은 없겠지만 그럼 이제 어딜 가라고 하면서 한동안 화가 나기도 했던 기억. 자주 지나가는 곳이었기에 화는 슬며시 궁금증으로 바뀌었다. 그러다 주변 이야기 때문이었는지 고개를 끄덕였고 시간이 지나자 그곳이 그리워졌다. 그리곤 가끔 주인 얼굴도 떠올랐다.

특별히 기억해 줄 만큼 내가 그곳을 자주 이용하는 손님은 아니었다. 손님과 주인사이 돈독한 정을 쌓은 적도 없었다. 가만 보면 들릴 때마다 나 외에 다른 손님들과는 허물없이 친분이 깊은 것 같아 단골이 많구나 부럽기도 했던 것 같다. 바로 옆 가게 안경아저씨가 말해주었다. 무슨 암에 걸렸다는 이야기를 들었다고. 같은 곳을 이용하던 동네 아주머니는 남편에게 심하게 맞고 어디로 도망가느라 급하게 화장품 가게를 정리한 것이라 했다. 그런 이야기를 들을 때마다 사람들은 남의 불행을 참 쉽게도 이야기하는구나 싶었다.

어느 날인가 내가 문 열고 들어가자마자 그녀는 그렇게 말했다. 생각해 보니 그곳은 아무리 울적해서 들어가도 나올 땐 기분이 좋아지는 곳이었다. 그날도 좀 기분이 나아지려고 들어갔던 것 같다. 그녀가 암에 걸렸건 남편에게 얻어맞았건 어쨌든 그 앞을 지나갈 때마다 다시 보고 싶은 마음이 자주 들었다.

그렇다면, 나는 어떤 주인이었을까.

잠시 매장을 운영할 때 갑자기 말도 없이 사라지는 무례하고 서운한 주인이 되고 싶지 않아 나는 두 달 전부터 장사를 그만할 것이라며 손님들에게 열심히 고지를 했다. 사람들은 하나같이 이유를 알고 싶어 했고 그럼 앞으로 무엇을 할 건지 궁금해했다. 그 질문이 듣기 싫어 나가기가 싫은 날도 있었다. 매장을 정리하고 나서는 그 상가 앞으로 부러는 가지 않는 나를 발견했다. 어쩔 수 없이 그 거리를 지나가야 했을 때 시선을 외면하는 내 마음도 목격했다. 누군가와 부딪힌다면 미안한 마음이 들 것 같았다. 그리곤 결국 미처 나의 정리소식을 듣지 못하고 나중에라도 나를 찾아 가게를 방문했을 누군가를 떠올렸다. 그 손님의 마음은 나와 같이 화가 나다가 이해도 하다가 시간 지나 조그만 그리움으로 바뀔 수 있을지 궁금했고, 슬며시 걱정도 되었다. 장사를 하면서 사람들의 각자 생활 동선은 바뀌지 않는다는 걸 알았다. 동선이 바뀌었다면 무언가 변화가 생긴 것이다. 나 때문에 의도치 않게 자그마한 동선이 바뀐 사람이 있다면 그리하여 소소하게 안부를 물어보던 재미가 없어진 그녀들이 있다면 정말 미안하다 말하고 싶다. 그리고 나 역시도 당신들처럼 여전히 그 재미가 그립다고 알리고 싶다.

짧고 긴 이별

< 얼마나 힘들었어요? >

옛날, 그러니까 내가 어리고 어려 한 곳에 모인 친척들이 모두 나보다 키가 커서 그들을 올려다볼 수밖에 없었을 때 나는 그들이 나와 아주 가까워졌던 순간을 기억한다. 바로 그들이 연속해서 인사만 할 때였다.

"그래, 고생들 했습니다."

명절이었고 친척들은 차례와 식사, 덕담을 마치고 집으로 돌아갈 때였다. 끝날 듯 끝날 듯 서로 인사만 거의 30여분 넘게 멈추지 않았다. 손도 잡고 살짝 껴안기도 하고 이 차가 떠나면 다음 차에서도 절차는 반복되었다. 현관에서도 엘리베이터에서도 내려와서도 차 타기 전에도 차를 타서도 차가 멀어질 때까지도 그들은 서로에게 눈을 떼지 못했다. 하려고 했던 말을 그 순간을 위해 일부러 남겨둔 것처럼 모두는 서로에게 가장 따스한 말을 건네며 일부러 이별을 늦추는 듯 보였 달까. 짧았지만 긴 이별을 하고 집으로 돌아왔을 때 부모님은 비로소 큰일을 다 치렀다는 만족과 안도감으로 각자의 자리로 돌아가 사색의 시간을 가지셨다. 살면서 우리는 가족 내에서 각자 역할을 맡게 된다. 싫든 좋든 떠 안겨지는 지겹고도 고독한 시지프스의 형벌과도 같은 역할의 무게. 어쩌면 그들은 그래 오늘도 우린 우리 역할을 잘 해냈어 하는 서로 간의 위로와 격려가 필요했던 건 아닐까. 아무 일을 하지 않은 사람은 아무런 인사도 주고받을 수가 없었을 테니까.

이별의 인사를 마치었다는 건 결국 내 역할을 다했다는 마침표.
이별이 길었던 건 그래 얼마나 힘들었냐는 다독임.

여러 번 반복했던 건 앞으로도 내 역할을 잊지 않겠다는 약속.

다음번의 나와 똑같이 마주할 당신 역시 용기를 잃지 않도록 그들은 그럴 수밖에 없었던 것이다. 어른들이 명절을 기다리는 건 어쩌면 만남의 시간이 아니고 저토록 하고 또 했던 충분한 이별의 시간은 아니었을까 싶다. 달력을 보니 다시 명절이 돌아오고 있다. 지난봄에 아흔이 넘은 큰 이모님을 뵈었는데 그 얼굴이 마지막이 될까 봐 다시 찾아 봬야겠다. 이제 웬만한 친척 어르신들은 언제 돌아가셨다 해도 크게 놀라지 않을 만큼 연세가 드셨다. 때문에 지금부터 찾아 뵙는 시간은 거의 마지막일지도 모른다는 생각이 든다.

명절이 오면 그렇게 귀찮을 수가 없었는데 나도 나이가 드니 내가 어렸을 적 부모님이, 명절이라고 만나 뵙던 친척 어르신들이 왜 이리 그리운지 모르겠다.

다시 볼 수 없을 것 같아

< 그때 알았지만 요 >

손가락 사이로 스르륵 모래가 빠져나가듯 그렇게 멀어진 사람이 있다.

한때는 거의 매일 통화하고 밥도 같이 먹고 주말을 계획하고 그렇게 평생 보고 살 줄 알았던 사람들. 이성 친구는 비교적 헤어진 이유와 시점이 명확한데 동성이면서 가까웠던 사이는 이상하게도 어떠한 갈등 없이도 관계가 멀어진 적이 있다. 바로 어느 한쪽의 조건과 환경이 변했기 때문이다.

무남독녀였던 나는 늘 언니가 있는 친구가 부러웠다. 그래서였는지 주변에 나보다 서너 살 많은 언니들이 항상 많았다. 그 언니는 다른 언니들과 달리 나를 부를 때 꼭 이름 뒤에 씨 자를 붙였다. 그냥 말 놓으라고 해도 한사코 이름만은 그렇게 불렀다. 아마 처음 인연이 손님과 고객 사이여서 그랬던 것 같다.

언니를 알고 한 1년쯤 흘러 내가 옷가게를 하게 되었고 언니는 입장이 바뀌어 내 매장의 손님이 되었다. 그런데 가만 보니 옷을 사러 온다 기보다는 그냥 내가 궁금해 주기적으로 매장을 들렀던 것 같다.

"동생은 이런 거 할 사람 아니지."
"뭐가 어때 서요, 제가 해보고 싶었던 건데요."

언니는 올 때마다 반찬과 음식을 잔뜩 해오고 어떤 날은 자신이 아는 친구들을 데리고 오고는 했다. 내가 소화가 안된다고 하면 그 다음 날 연잎밥을 먹어보라고 싸 들고 왔다. 내가 그때 무엇 때문에 갑자기 옷가게를 하겠다고 사람들을 놀라게 했는지 모르겠는데, 그 시절은 하루하루가 고단하고 힘겨운 날을 보내고 있던 터라 밥은 커녕 잠도 제대로 못 자던 시기였다.

언니는 마치 감옥이나 요양원에 갇혀 있는 동생 하나를 딱히 여겨 찾아보는 태도로 나를 찾아왔고 나 역시 언니가 오면 잠시 허기진 배를 채우고 다시 힘을 내곤 했다. 어떤 날은 진상 손님이 왔다간 후라 언니를 보고 말없이 눈물이 터진 적도 있다. 또 어떤 날은 같이 있는데 어떤 손님이 철 지난 옷을 하나 싸게 사간 뒤 바로 달려와 옷에 뭐가 묻었다며 뭐 이런 상품을 파느냐고 화를 낸 적도 있다. 언니는 자기가 죄송하다고 고개를 숙였다.

그러던 어느 날 언니는 갑자기 어떤 남자분을 하나 데려왔다. 목사님으로부터 우연히 소개받은 분인데 다시 혼인을 할 사람이라고 했다. 언니는 사별을 하고 혼자 살고 있었는데 집에 들어가면 불 꺼진 집이 싫어 아침에 불을 켜 놓고 나온다고 했었다. 그런데 어쩐지 남자분이 내 마음에 들지를 않았다. 사람 외모로 판단하면 안 되지만 옷차림도 막노동판에서 막 나온 사람 같았고, 얼굴도 시커면 데다가 팔에는 깁스까지 하고 있었다. 서울에 있는 병원에 왔는데 언니가 보호자 역할을 하고 있었다. 남자분의 집은 부산인데 혼인하면 부산으로 갈 것이라 했다.

모든 게 거짓말 같았다.

우선 나한 테 한마디 상의도 없이 그런 중요한 결정을 한 것에 화가 났고, 그렇게 결정한 대상도 언니와는 어울려 보이지 않아 어떤 표정을 지어야 할지 난감했다.

"이 사람한테서 이야길 많이 들었어요."

그날 이후 언니는 두어 번 더 나를 보러 왔고, 그 후론 부산으로 이사를 가는 바람에 소식이 끊겼다. 아니 어쩌면 내가 끊었다고 해야 맞으려나. 내가 연락하면 뭔가 부담을 줄 것 같아 몇 번이고 카톡 창을 열어만 보고 인사 한 마디 쓰지 못했다. 카톡 창을 다시 닫을 땐 괜스레 프로필 사진에 함께 있는 그 아저씨가 야속하기까지 했다.

아무 일 없었다는 듯 다시 연락이 되면 좋겠다 싶다 가도 어쩐지 그렇다고 다시 만남을 이어갈 것 같지가 않아 한 시절의 사람으로 간직하는 게 맞다고 생각한다. 그날 언니가 아저씨를 데리고 왔을 때 나는 직감적으로 앞으로 언니를 못 보게 될 것 같은 기분이 들었다. 언젠가 다시 만날 것 같았다면 그리 슬프지 않았을 지 모른다.

그 후로 십 년이 지났다. 휴대폰을 몇 번 바꾸었더니 카톡 창에서도 언니는 사라지고 말았다. 가끔은 언니가 잘살고 있는지 너무나 궁금하다. 한 시절을 견디게 해 준 고마운 사람인데 너무 내 생각만으로 연락을 하지 않았던 것은 아닐까. 하지만 나는 이제야 내가 재혼을 했더니 갑자기 연락을 하지 않는 지인들의 심리를 좀 알 것 같다. 나는 그대로이고 그들을 향한 마음이 하나도 변한 게 없는데 나의 조건과 환경은 설명할 수 없이 그들을 서운하게 했을 수도 있겠다 싶었다.

분명히 작별하면서도 그리 슬프지 않다면, 그건 언젠가는 다시 만날 수 있

을 것이라 여기기 때문이다. 실제로 못 보게 되더라도 그 순간의 마음이 슬
픔의 크기를 좌우하는 건 아닐까.

세련된 이별을 해왔어요

< 내가 올 때 까지 잘 있어요 >

자주 얼굴은 보았지만 별로 친하지 않던 사람이었다. 어쩌면 서로 불편했을 수도 있는 관계였다. 사실 나는 그와 친해지려 노력을 해본 적이 없었다. 설명할 수는 없지만 그냥 나랑은 잘 안 맞는 성격이었다 고나 할까.

그런 그가 어느 날 갑자기 해외로 떠나게 되었다는 소식을 알려주었다. 그는 직업상 자주 해외에 살다가 다시 귀국해서 살다가 또 나가곤 하는 사람이었다. 그의 공지가 내겐 별다른 뉴스로 느껴지지 않았다. 떠나기 두어 달 전부터 알려주었기에 이별이 크게 와닿지도 않았다.

우리는 평소와 같았고 그는 늘 왔다 갔다 하는 사람이기에 누구와도 잘 이별해 온 사람으로 보였다. 걱정 없이 그의 얼굴은 편안해 보였고 여기서의 미련 같은 것도 내비친 적은 없었다. 늘 세련된 이별을 하는 사람. 그가 몇 년 해외에 있다 온들 우리 사이 달라질 건 없었다.

하지만 나와 헤어지는 건 처음이었다. 떠나기 하루 전날 나를 찾아온 그가 말했다.

"내가 돌아올 때까지 부디 건강하고, 잘하고 있어요."

처음 들었을 때 무슨 말인지 이해가 되지 않았다. 내가 언제 기다린다고 했었던가? 뭘 잘하고 있으라는 거지? 그런데 그의 눈은 진심으로 나를 걱정하고 있었다. 그의 눈빛 때문에 무언가 툭 하고 내려앉는 기분이 들었다. 심장의 온도가 올라가고 있었다. 처음으로 내 어깨를 잡은 그의 눈을 똑바로 본 후였다. 그 순간 나는 어찌할 바를 몰랐다. 새삼 너무나 분명하게 이별이

코앞에 닥친 것을 실감했기 때문에.

그는 재회를 기약하며 손을 내밀었다. 그렇게 하는 것이 그의 이별 방식이었던 것 같다. 마침내 서로 마주한 두 손, 재회를 다짐할 때 손의 온도와 감촉은 아무리 짧았어도 잊히지 않는다는 걸 그때 알았다. 흠칫 눈물이라도 날까 봐 당황했던 그 순간 나는 무얼 숨기고 싶었던 것일까. 나는 당신을 달가워하지 않았기에 당신과의 이별도 슬프지 않아요. 나는 아무렇지 않아요.

그처럼 세련된 이별을 한 척했건만 그가 떠난 후로 내 일상은 그다지 세련됨을 유지하지 못했다. 그가 사라진 거리는 퍼즐이 하나 빠지듯 완성된 그림으로 보이지 않았다. 별다른 말을 주고받은 적도 없었는데 그가 없어진 게 갑자기 아쉬운 날도 생겼다. 울고 불고 하는 대단한 이별만이 남은 사람을 고독하게 하는 건 아닌 것 같다.

사람은 일상을 그리는 동선 속에서 저마다 일정한 패턴을 그리며 살아간다. 동선 속에서 매일 스치는 이웃이 실은 현재 나의 삶을 가장 분명하게 해주는 고마운 존재들 아닐까.

바람이 스며들듯 소리 없이 빠져나가는 보통의 이별. 그런 이별을 많이 해 왔다는 그를 다시 만난다면 한번쯤은 그를 제대로 안아주고 싶다. 평온한 듯 아무렇지 않아야 살아가기 편했을 그의 세련된 이별을 이번에는 내가 살살 어루만져 드리고 싶다.

점점 확실한 이별

< 이젠 가지 말아야지 >

그는 언제나 7시 15분에 출근했다. 내가 먼저 출근해서가 아니라 어쩌다 밤을 새우면서 그의 도착시간을 알게 되었다. 그는 소리 없이 자기 방으로 들어갔다. 그리곤 우리 팀원들이 다 올 때까지 한 발자국도 나오지 않았다. 그래서 7시 15분 이후에 오는 이들은 그가 회사에 있는지 없는지 조차 알 수 없었다.

그날은 그야말로 전쟁 같은 밤을 보낸 다음날이었다. 무언가를 완성하고 멍하니 앉아 있는데 분명히 어디선가 노랫소리가 들렸다. 사무실 구조상 그의 방을 지나쳐야만 밖으로 나갈 수 있었다. 방 안에서 누군가가 무슨 노래를 따라 부르는 것 같았다. 한 번 들어가면 사람의 소리라 곤 들리지 않던 저 방에서 노랫소리라니.

찔러도 피 한 방울 나오지 않을 것 같은 표정. 투박하고 간단한 문장들을 허스키한 사투리로 툭툭 내뱉는 어법. 같은 말을 두 번 하는 법이 없어 재차 질문, 혹시 확인, 행여 정정 이런 건 아예 꿈에도 꾸지 못했던 상사. 누구 와도 소통이 되지 않는 사람. 당시엔 그 정도가 내가 내릴 수 있는 후한 평가일 것이다.

"오히려 눈에 띌까 다시 걸어도…"

노래 소린 다음날도 이어졌음을 확인했다. 내가 너무나 궁금해 7시 13분에 출근을 했기 때문이다. 기왕 궁금한 거 작정하고 커피를 타서 똑똑 거린 후 문을 열어보았다. 속으로 무슨 오디션이라도 준비하시는 건가 싶었다.

그는 통화 중이었고 들어오라는 손짓을 해주었다. 약간 미소 띤 얼굴로 기분도 좋아 보였다. 천천히 그의 책상에 커피를 놓기까지 저쪽 전화 상대는 여성이며 방금 그녀와 헤어지고 왔다는 사실도 알게 되었다.

그녀는 그의 첫사랑이었다. 남쪽 지방에서 서울로 공부하러 오기 전까지 함께 미래를 약속했던 고향 사람. 7시 15분에 오는 날이면 지방에서 올라오는 것이었고 회사에 도착하자마자 그녀와 통화를 했던 거였다. 그땐 핸드폰이 없었다. 그녀의 전공은 음악이었고 따라 부르던 노래는 가곡이었다. 아침 노랫소리는 한 달 이상 이어졌다. 그러는 동안 그는 예전보다 말이 많아지고 눈빛도 따스해 졌다.

그리고 나는 7시 13분에 출근하는 더 지독한 팀장이 될 수 있었다. 커피를 갖다 드리며 그의 안타까운 이별 플러스 사랑 이야기를 들어야 했기 때문이다.

"우리가 동네에서 유명했지."

그는 한밤중에 내려가 바닷가 차 안에서 두어 시간 이야기만 나누다 돌아온다고 했다. 서로 가정이 있고 각자 가정에 충실한 사람들이어서 무얼 어쩌겠다는 건 아니라고 했다. 직원들이 모두 출근하기 전까지 나는 한동안 그의 첫사랑과 헤어진 사연을 들었고, 두 사람의 이별을 안타까워했다.

그러다가 언젠가 이제 가지 말아야지 하던 그가 생각난다. 어쩌면 그들은 처음부터 또, 다시 보지 못할 날은 언젠가 올 거라는 걸 알지 않았을까. 칼

같고 돌같이 차가운 사람도 첫사랑은 어설프고 어이없는 일이었다. 다시 못 볼 그날이 어김없이 온다는 것을 알아도 헤어지고 온 순간만큼은 멈출 수 없었던 두 사람의 노래가 삼십 년 전이다. 그때 몰래 노랠 엿들은 애송이 직원이 벌써 당신들의 나이가 되었다.

닫혀버린 문 앞에서

< 그렇게 가버리는 법이 어디 있어요 >

그의 트레이드 마크는 하얀색 양복이었다.

아래위로 하얀 사람이 또 얼굴은 시커멓기 짝이 없었는데 머리에 파마까지 했으니 저 멀리서도 눈에 띄지 않을 방법이 없는 친구였다. 앙드레 김도 아니고 왜 그렇게 흰색 양복을 입어요 하고 물으면 스스로 깨끗해지고 만나는 사람도 깨끗해지라고 그렇게 입고 다닌다고 설명해 주었다. 나도 옷 장사를 한 적이 있지만 흰색 옷은 아래위 막론하고 입을 때도 신경 쓰이고 세탁도 함부로 해서는 안 되고 옷 수명 자체가 여간 짧은 게 아니다.

하지만 나는 그 친구의 고집이 좋았다. 누가 뭐라 그러건 자기 생각을 일상에 반영하고 또 사람들에게 자신 있게 이야기한다는 것 자체가 어디 대한민국에서 쉬운 일인가. 옷 가게 할 때 손님들이 가장 먼저, 그리고 제일 많이 물어보는 질문이 바로 어떤 게 잘 나가요? 였다. 남들과 똑같은 건 싫지만 또 남들이 입지 않는 옷은 선택하지 않는다. 괜히 튀고 싶지 않기 때문이다. 나는 그 친구가 다른 옷을 입은 것을 한 번도 본 적이 없었다.

"장사 잘되죠?"

하얀 양복의 주인공은 내가 운영하던 와인바에 술을 가져다주 던 영업부장이었다. 이름도 성도 기억나지 않지만 그 친구는 그 차림으로 늘 그 구역을 돌면서 사장들의 안부를 물었다. 나는 한 시절 와인바를 한 적이 있다. 특별히 내가 술을 잘 마시는 사람은 아니었는데 잠이 안 와서 한잔 두 잔 홀짝홀짝 마시던 것이 그만 와인에 대한 지식이 많아져 버린 것이다.

그땐 젊었고 근사한 와인바의 주인이 되어 사람들과 인생 이야기를 나누면서 내가 먹어본 와인을 권하고 싶었다. 지금 알고 있는 걸 그때도 알았더라면 당연히 그런 선택을 하지 않았을 텐데. 나는 도전했고, 실패했다.

생각했던 만큼 매출이 오르지 않아서 나는 그 친구에게 아이디어를 좀 부탁했다. 아무래도 지역 상권을 잘 알고 돌아가는 분위기도 잘 알 것이니 뭔가 묘책을 줄 수 있을 것 같았다. 그 친구는 자기 일처럼 우리 가게를 방문했다. 주로 오픈하기 전 3시경이었는데 원래 자기가 돌아다니는 시간보다 두어 시간 앞서서 나온 것이었다. 밤에 장사하는 사람들이 그 한두 시간을 앞당기기는 정말 어렵다.

"그러니까 낮에도 장사를 하시면 어떨까요?"

그 친구는 와인바와 어울리는 스파게티와 돈가스를 직장인 점심 메뉴로 팔아보라고 추천했다. 주방장은 자신이 구해준다고 말이다. 대신 어떻게 든 그 주방장이 왔을 때 레시피를 잘 지켜보다가 배워 놓으라고 당부했다. 동네가 시골이라 수틀리면 다음날 안 나올 수도 있으니 그때를 대비해서 꼼꼼히 받아 적어 놓아야 한다고.

양복친구는 보름을 나와 함께 마주 앉아 메뉴와 가격, 인테리어, 마케팅 등의 사업적인 이야기를 주고받았다. 어떤 날은 폭우가 쏟아져 손님 이라고는 하나 없을 때였는데 그는 어디론가 전화를 걸어 가짜 손님이라도 앉아 있어야 한다고 그래야 문 열었을 때 진짜 손님이 다시 문을 안 닫는다고 사람을 몇 명 불러 다가 테이블에 앉혀 놓은 적도 있다.

그리고 드디어 신메뉴를 선보이는 그날이 왔다. 그런데 어쩐 일인지 그 친구는 안보였다. 그날은 전화를 할 여유도 없이 손님이 너무 많이 들이닥쳤다. 다음날도 그다음 날도 양복친구는 보이지 않았다. 소위말하는 오픈 빨 때문이었는지 연일 손님이 몰려들어 나는 정신이 없는 날들을 보내고 있었다.

그리고 일주일쯤인가 지나서 양복친구를 소개해준 컨설팅 대표가 매장을 찾아왔다.

"이런 일이 있나.... 그 친구 그만 심장마비로 세상 떴다고 해요."
"거짓말, 저랑 며칠 전까지 여기서 이야기하던 사람인데요."

살다 보니 바로 어제 얼굴 보고 마주 앉아 차를 마셨지만 오늘 거짓말처럼 그이가 죽을 수도 있었다.

"알고 보니 사채를 많이 써서 늘 빚독촉에 시달렸다고 하더라고요. 채무자들이 부검하자고 난리였다네요. 애들이 다섯 살, 세 살이라는데 사람 참 알 수 없지요."

양복친구가 사망한 날은 신메뉴를 오픈하는 첫날이었다. 아침부터 매장에 그 친구가 보내온 화환이 도착했는데 그땐 그가 숨을 거든 후였던 것이다. 비록 보름이었지만 나는 그 친구가 없었다면 다시 용기를 내서 일어서고자 하는 마음을 내지는 못했을 것이다. 아니나 다를까 신메뉴를 오픈하고 얼마 안 있어 주방장은 매니저 언니와 눈이 맞아 함께 그만두었고 나는 졸지에 주방으로 들어가 돈가스를 튀겨야 했다.

손님은 점점 늘어갔는데 장사가 신이 나지 않았다. 이렇게 한 사람이 없어졌는데 세상은 참 아무것도 달라지지 않았고 그러건 말건 날은 잘도 저물고 아침은 어김없이 찾아왔다. 그러다가 어느 날인가 가만있기가 어려워 그 친구의 집이라도 찾아가 보려 했는데 세상에 나는 그 친구에 대해 알고 있는 것이 아무것도 없었다. 심지어 전화번호도 몰랐다. 늘 그 친구가 때 되면 가게 문을 열고 알아서 들어왔기 때문이다. 그러니 집도 가정사도 개인 사연 같은 건 알 리가 만무했다.

나는 어떤 얼음 속에 갇힌 사람처럼 그 친구의 죽음을 슬퍼하고 명복을 빌고 하는 시간도 가질 수 없었다. 그 친구가 흔적도 없이 사라지고 난 후 나는 서서히 어두워졌다. 그리곤 마침내 가게 문을 닫아 버렸다.

나는 그 지역에서 살 수 없었고 더는 그 생활을 할 수 없었다. 아니 그전으로 돌아갈 수 없었다.

살면서 주변 지인 중에 그런 죽음을 맞은 사람이 두어 명 있다. 늘 같이 나누었던 시간에 대한 기억 때문에 내 입장만 생각하고 기억을 떠올리기가 두려웠다. 정확히는 어떻게 슬퍼해야 할지를 몰랐다가 아닐까 싶다.

한 사람이 죽으면 그로 인해 그가 손잡고 있던 모든 세상의 문은 닫힌다. 한

번 닫힌 그 문은 절대로 다시 열리지 않는다. 어떤 사람은 그 문 앞에서 속 절없이 자릴 떠나질 못하고 나 같은 사람은 잽싸게 등을 돌려 다른 세상으로 향한다.

그때 도망쳐 나온 한 사람이 너무 늦었지만 비로소 정말 고마웠다고 전하고 싶다. 낯선 곳에 이사와 무턱대고 도전해 본 와인바였는데 당신이 없었다면 하루하루가 막막했을 거라고. 한 시절을 버티게 해 준 그 친구의 명복을 다시금 빌어본다.

그때 하지 못한 말

< 사랑합니다 >

가끔 누군가와 장문의 카톡을 주고받을 때가 있다. 참 희한한 것이 주저리 주저리 내용은 많은 것 같아도 결국 꽂히는 한마디, 하나의 단어가 있다. 상대가 아무리 그걸 숨기는 척 아닌 척 길게 포장을 했어도 하고 싶었던 말은 다 보인다. 그 이유는 바로 그 말을 하려고 문장을 시작했기 때문일 것이다. 내가 이별에 대해 소재를 떠올리고 글들을 정리하고자 했던 것도 궁극에 하고 싶었던 이별 이야기가 있었던 것 같다. 처음부터 하려고 했던 이야기는 아니었다. 그런데 글꾸러미를 정리하고 모으다 보니 뭔가 부족해 보였다.

시간이 지났지만 새삼 버릴 수도 없고 그렇다고 대놓고 간직하기도 뭐 해 그냥 서랍에 넣고 잠가 버린 유행 지난 귀중품 같은 내 이별 이야기.

아버지를 많이도 원망했다. 그가 내 인생을 힘들게 한 주범이라 여겼기 때문이다.

내 아버지가 특별히 나쁜 사람이어서 엄마를 괴롭혔다거나, 바람을 피우셨다거나, 폭력적이거나 도박 등의 유흥을 일삼았다거나, 그런 분은 아니었다. 당신의 방식이었지만 나름 딸을 예뻐하셨고, 풍족한 건 아니었지만 무남독녀였기에 가난했던 기억도 없다. 아버진 한 인간으로서, 한 남자로서 충분한 매력을 가진 분이셨다.

다만, 나의 이십 대를 꼼짝도 못 하게 꽁꽁 묶어 놓으셨다. 내가 대학교 1학년을 마치고 겨울방학에 들어갈 때 쓰러지셨기 때문이다. 아버지는 그 후로 다시는 건강한 삶을 찾지 못하셨다. 그는 내가 스물한 살 때 쓰러져서 내가 서른네 살 때 돌아가셨다. 십 오 년 동안 나는 효녀인 척 살았는데 그 십 오 년은 내 인생에서 많은 것이 결정되는 시간이었다.

우선 아르바이트로 학비를 벌어야 했고, 졸업을 하기도 전부터 아버지 병원비 때문에 죽을 만큼 일을 해야 했다. 성장기 때는 무남독녀인 것이 참 좋았다. 그런데 부모님의 불행을 같이 나눌 형제가 없어 나는 늘 고독했고 힘겨웠다. 친구를 만날 시간, 취미를 배울 시간, 여행을 갈 시간 같은 건 사치였다. 제발 한 달만이라도 쉬어보고 다음 직장을 준비하고 싶었지만, 그 한 달 동안의 월급이 아쉬워 그렇게 살 수는 없었다.

오랜 기간 부성애의 부재 때문이었는지 나는 나이 많은 남자가 아니면 매력을 느끼지 못했고, 결혼도 아버지의 요구에 떠밀려서 하게 되었고, 준비 없이 아이를 낳았다. 그렇게 늘 아버지 병원과 집과 회사를 오가며 별로 즐거운 일 없이 아버지의 긴긴 투병생활을 지켜보았다. 그러던 어느 날 아버지가 돌아가셨다는 전화를 새벽에 받았는데 가슴에 무언가가 뻥 뚫리면서 전쟁이라도 끝난 것 같은 기분이 들었다. 실제로 응급실을 오가던 아버지가 빨리 죽었으면 그리하여 나의 지긋지긋한 라이딩도 끝이 났으면 생각한 적도 있었다.

같이 졸업한 친구들은 저만치 앞서서 나보다 더 근사한 회사에 아니면 있어 보이는 유학에 그도 아니면 알만한 집에 시집을 갔다. 무엇이든 뒤처져 있는 나 자신의 꼴이 당연히 아버지 탓이라는 생각 때문에 나는 웃음을 잃은 이십 대를 보냈다. 또 그런 원망이 어떨 때는 죄책감으로 돌아와 집 나가서는 좋은 음식, 좋은 옷, 좋은 구경은 부러 택하지도 않았다. 나만 행복하면 안 될 것 같았기 때문이다.

장례식장에서 눈물도 나지 않아 사람들은 내 얼굴을 정면으로 쳐다보지 않았다.

하지만 아이러니하게도 그 십오 년 동안 죽도록 무언가를 했기 때문인지 공부도 일도 연애도 후회 없이 한 것 같다. 그리고 그 시절의 치열했던 시간들이 결국 지금의 나를 만들었다는 생각이 든다. 그리고 오십이 넘고 아이들 다 키우고 시간적, 경제적, 물리적 여유가 생기고 보니 잠가놓고 잊어버린 그 옛날 서랍이 다시금 궁금해졌다.

아버지를 생각하면 너무나 후회가 되는 순간. 나는 실컷 원망만 했지 제대로 이별하지 못했다. 아버지와 같이한 시간도 많았는데 나는 도망쳐 나오기에 급급했다.

돌아가시기 전날 아버지는 응급실에서 퇴원해 목욕을 마치고 편안해 보이셨다. 어쩐 일로 전복죽을 다 드시고 편히 잠드셔서 나는 이제 또 두어 달은 편하겠다 싶었다.

그게 마지막이었다.

그 후로 이 십 년이 지났는데 나는 요즘 아버지의 죽음이 처음으로 슬퍼서 어쩔 줄을 모르겠다.

그토록 모진 세월을 살아내신 아버지의 인생이 가엽다. 어린 여식을 두고 속절없이 투병 생활만 해야 하는 자신의 처지가 얼마나 한탄스러웠을까. 흥이 많았던 아버지의 꺾여버린 사회생활이 안타깝다. 어느 날인가 밤늦게 집에 들어갔는데 아버지는 흰색 런닝을 입고는 고개를 숙인 채 미동도 없이 앉아계시던 뒷모습을 보고 섬뜩했던 적이 있다. 굽어진 등으로 얼마나 한 좌절을 하셨을까.

조금만 더 따스한 눈빛으로 안아드리고 왔어야 하는데 나는 끝까지 차갑고 서늘했다. 마지막 가는 길, 온기라도 가져가시게 했어야 하는데 설마 돌아가시겠나 싶었다. 아직은 멀었다고, 아직은 아니라고 말이다.

아버지, 아팠던 세월 다 잊으시고, 부디 편안히 지켜봐 주세요.

중학교 3학년 때 둘이서 서울대공원 갔던 거 처음이자 마지막이었던 우리 나들이 오래오래 기억할게요.

사랑합니다.

보고 싶은 만두

< 어디서 뭐하고 사니 >

그녀의 이름은 만두였다. 하고 많은 이름 중에 왜 하필 만두라고 지었을까. 그녀는 만두가게 집 딸이었다. 한동안 만두를 먹을 때마다 그녀가 생각났고, 그녀가 보고 싶었다.

"사장님, 제가 할게요."

그녀의 단골 멘트는 뭐든지 자기가 한다는 거였다.

사실 그녀는 아무리 시골이라도 바에서 일하기엔 솔직히 미모가 좀 빠지는 경우였다. 우리 매장에는 총 4명의 언니들이 있었다. 한 명은 매니저 언니인데 몸매도 예쁘고 고소영 스타일이라 손님들에게 인기 만점이었다. 그런데 근퇴가 안 좋아 늘 불안감을 주는 친구였다. 다른 두 명은 존재감이 없었기에 기억이 가물가물하다. 그들 중 만두는 몸매도 아줌마 몸매에 얼굴도 큰 데다가 화장도 하지 않아 오픈하기 전에 소개받고 내심 걱정을 많이 했다.

그러나 걱정은 기우였고, 가장 단골손님이 많은 친구는 만두였다. 어디서들 찾아오는지 만두 찾아 사람들이 자꾸만 늘어났다.

그녀는 과일 깎는 선수였고, 간단한 요리는 물론 같이 술을 마시면 손님을 정말 재미나게 해주는 재주가 있었다. 한 번은 덩치가 산 만한 손님이 바에 얼굴을 묻고 등을 들썩이며 우는 것이다. 그 앞에서 만두가 그의 등을 어루만지고 있었다. 왜 그러냐고 내가 눈짓을 했더니 만두는 자기가 알아서 할테니 걱정 말라는 얼굴로 고개를 끄덕였다. 무슨 사연인지는 모르겠는데 이상하게도 만두 앞에 앉으면 그렇게 한 번씩 울고 가는 손님들이 있었다.

"왜 손님들을 울리고 그래."

내가 농담 삼아 이렇게 말하면 만두는 사장님, 저를 보면 누가 생각이 난데요. 사람들이요.

어느 날인가 만두가 손에 붕대를 감고 출근을 했길래 어쩌다가 다쳤냐고 물었다.

"제가 낮에 만두를 찌는데요. 찜통에 데었어요. 자주 데어요. 괜찮아요."

괜찮다고 씩 웃는 만두의 얼굴을 보는 데 왜 그리 가슴이 아픈지 뭐라 할 말이 없었다. 만두는 그렇게 낮에는 어머니를 도와 만두를 찌고 밤에는 바 일을 하고 그래도 늘 웃음을 잃지 않고 일손이 서툰 내 곁에서 매장의 궂은일은 다 한 친구였다.

또 한 번은 반갑지 않은 상가조합에서 체육대회를 하는 날이었다. 타지에서 이사와 아는 사람도 없는 데다가 일요일이니 좀 쉬고 싶었는데 만두가 참가하자고 성화였다. 자기가 운동은 잘하니 뭐라도 상품을 탈 수 있다고 말이다. 첫 번째 종목은 남녀 혼합 피구였다. 그런데 몇 번 안 돼서 날아온 공이 그만 내 얼굴을 정통으로 때려서 나는 넘어졌고 기절할 뻔했다. 그때 거짓말처럼 어디선가 달려온 만두가 소리쳤다.

"아니 얼굴을 이렇게 대놓고 때리는 게 어디 있어요. 우리 사장님 얼굴 반쪽 됐네."

하면서 나를 업고 휴게초소로 들어갔다. 만두가 사람들한테 어찌나 화를 내던지 무안할 지경이었다.

"사장님, 이런 일 하실 분 아닌데 힘들면 하지 마세요."

만두는 그렇게 귓속말을 하며 나를 꼭 안아주었다. 그때 나는 엄마가 돌아가신 지 얼마 되지 않아 피구가 뭐라고 우연히 공 하나 맞은 것도 그렇게 서러울 수가 없었다. 눈물이 핑 돌아서 어찌할 바를 몰라하고 있는데 박카스를 건네주며 만두는 얼른 이거 마시고 저것들 박살 내러 나가요 하는 것이다. 내 이마에 혹이 난 이후 줄다리기, 달리기, 2인 3각등 만두의 신들린 활약으로 결국 우리는 한우세트를 상품으로 받아왔다.

그런 마음씨 따뜻했던 만두가 어머니가 크게 다쳐서 나오지 못한다는 소식을 전해왔다. 아마 만두가게를 책임져야 하는 것 같았다. 그날 만두가 보내온 문자 메시지가 아직도 기억난다. 무엇이든 사장님 곁에서 도움이 되고 싶었는데 자기가 못나고 못 배우고 집도 어려워서 죄송하다고. 만두는 아무 잘못이 없었는데 나한테 그렇게 미안하다고 하는 통에 한참을 울었다.

가게를 접으면서 가장 아쉬웠던 사람이 만두였다.

다시는 만날 일이 없을 것이 확실한데 어쩐지 헤어진 것 같지 않은 사람. 언제라도 다시 볼 수 있을 것 같은 사람. 그건 아마 이쪽에서 아직 인연이 끝

낫다고 여기지 않아서가 아닐까.

사람은 한평생 살면서 많은 사람과 만나고 헤어진다.

지금은 어디서 무엇하며 살까.

만두에게 나는 어떤 사람으로 기억될까.

만두의 삶이, 그녀의 인생이 조금은 더 나아졌을 거라고 믿어본다.

굿바이 여고동창

< 내가 그녀를 만나지 않는 이유 >

별로 친하지 않았지만 우연히 다시 만나 반가웠던 친구가 있다. 여고 시절 동창이니 20년도 더 돼서 만난 것이다. 어쩌다 연락이 되었는지 잘 기억나지 않는데 그 친구는 내 연락처를 확인하고는 한달음에 내가 사는 곳으로 달려왔다.

세월이 한참이나 흘렀지만 친구는 그 시절의 외모를 상당 수준 유지하고 있었다. 몸매도 그대로였고 헤어 스타일도 똑같아서 한눈에 망설임 없이 이름이 터져 나올 정도였다. 분홍색으로 정장을 아래위로 차려입고 나왔는데 친구를 만나러 왔다기보다는 무슨 미술 전시회에 초대받은 사람 같았달까. 오랜만에 만나는 친구라고 정성을 다해 왔는데 그에 비해 나는 너무나 성의가 없었기에 미안할 정도였다.

우리는 한적한 카페에서 오랜 시간 이야기를 나누었다. 커피를 마시고 근사한 브런치도 먹고 거의 해가 질 무렵까지 한자리에서 일어나지 않았다. 친구는 자신이 사는 곳, 딸내미 학교, 남편의 직업 등을 비롯해 여느 아줌마들이 모여서 수다를 떨 듯 바로 어제 만난 사람처럼 나를 대했다.

신기한 건 딱 자기 자신의 이야기만 빼놓고 자신의 역할과 환경에 대해서만 신나게 이야기를 이어갔다.

나는 사실 지난 시절에도 동창생들과의 만남을 썩 달가워하지 않는 워커홀릭이었다. 만나봤자 잘된 친구, 못된 친구 할 것 없이 괜한 험담이나 하게 되고 자기 이야기는 일절 하지 않는 것 같아서였다. 우리 남편이, 우리 시어머니가, 우리 딸이, 내 동생이 하면서 나는, 내 생각은, 내 계획은 따위 하나도 언급하지 않는 분위기가 정말로 싫었다. 이상하게도 똑똑한 친구들 마저 누구의 아내, 누구의 엄마로서 자리에 앉아 있는 것 같았다.

그래서 너는 어떻게 생각해?
앞으로 어떻게 할 건데?
너는 그걸 하고 싶어?

이렇게 물으면 대부분 나야 뭐, 하고 얼버무리는 식이었다.

분홍 정장의 친구는 조심스레 방송에 소개되어 유명해진 우리 반 반장의 소식을 들었냐고 했다. 공교롭게도 나는 그즈음 반장 친구와 연락이 닿아 조만간 만나자고 하던 때였다. 하지만 내가 알지 못했던 소식은 역시나 불행의 뉴스였다. 남편이 연예인과 바람을 피웠는데 교회에 소문이 다 퍼져 나오지도 못한다고 말이다. 반장 친구는 학교 육성회장의 딸이었고 중학교 고등학교 6년간 전교 1등을 도맡아 하던 우리 학교의 얼굴이었다. 학교 다닐 땐 얼굴도 하얗고 미인인 데다가 키도 크고 음악, 체육, 미술까지 잘하던 넘사벽 존재였다. 그랬던 친구의 불행을 인생의 몰락으로 평가하며 신이 나서 나의 맞장구를 기다리던 분홍정장 친구에게 나는 웃어줄 수가 없었다. 그걸 아직도 몰랐냐고 하는 분홍친구는 마치 그런 중요한 사실을 알리려고 온 사람으로 보이기까지 했다.

나 역시 분홍 이를 만났던 시기에 내 코가 석자라 모든 것이 좋지 않던 상황이었기 때문일까. 사실 분홍이는 고등학교 시절 공부는 별로였던 아이였다. 시험을 치면 등수가 기록된 용지를 한동안 벽에 붙여놓았던 잔인한 시절, 분홍이는 끝에서 몇 번째였던 것으로 나는 기억한다. 분홍이는 아마 자기보다 한참이나 월등했던 반장 친구가 지금의 자신보다 훨씬 못하다는 생각에 들떠있었던 것일까. 아니면 그래도 자신보다 반장친구와 더 가까웠던 나를 통해 무언가를 더 확인받고 싶었던 것일까.

분홍이는 무용을 전공하게 된 딸내미의 예쁜 사진을 보여주며 연신 자신과 똑같이 생겼다고 자랑을 했다. 그러고 보니 학창 시절 분홍이는 모델로 나가면 성공할 것 같은 스타일이었다. 새침하기만 했던 그녀는 수다쟁이로 변했고 나는 그녀의 수다가 끝날 때까지 앞에 앉아 있어야 했다.

그럼에도 불구하고 오랜만에 옛 친구를 만나 선생님과 친구들 이야기를 나누었음에 의미를 두기로 했다. 굳이 먼 곳에서 나를 찾아와 준 친구의 성의도 고맙고 우리가 기억하는 서로의 가장 예쁜 시절을 웃으며 기억할 수 있어서 즐거웠다고 말이다.

그렇지만.

집에 돌아와 시간이 흐르고 보니 어쩐지 기분이 더 좋아지지는 않았다. 다시 만나야 할 이유도 별로 없고, 연락을 하고 싶지가 않았다. 우리 사이 공통의 화제는 더 없다는 걸 확인하며 돌아왔기 때문이다. 누군가의 험담을 하며 시간을 공유한 만남은 더는 기억하고 싶지가 않다. 분홍이도 같은 마음이었는지는 알 수 없지만, 아마 돌아가 괜한 이야기를 꺼낸 자신의 못난 심사를 후회했기를 바라본다.

그리고 나는 교훈을 하나 얻었다. 오랜만에 만나서 정말로 반가운 사람이라면 둘 다 알고 있는 다른 사람의 험담을 해서는 안된다. 여고시절처럼 둘만이 아는 비밀이라도 공유한다는 어린 마음도 버려야 한다. 그래야 다시 만나서 관계가 좋게 이어질 수 있다.

미적지근한 태도로 험담에 동참한 나는 분홍이 동창과 안녕했다. 누가 그러라고 한 것도 아닌데 우리 두 사람은 그 후로 몇 년 동안 똑같이 약속이나 한듯 서로에게 연락을 하지 않았다.

언젠가는 굿바이

< 천불이 내려 앉아요 >

알려졌듯이 갱년기는 폐경과 관련된 정신적, 신체적 변화를 겪는 시기를 말한다. 그렇다면 나의 갱년기는 사실상 이미 시작된 지 꽤 오래된 것 같다. 다만, 스스로 인지한 채 원인과 결과를 매치하며 살지 못해서 그런지 몸과 마음의 변화가 갱년기 때문이라고 여기진 않았던 것 같다.

먹고 사느라 너무 바빴다.

그러나 올해부터 사람들이 언급하는 그 증상들이 나도 자각할 정도로 뚜렷해지면서 이대로는 안 되겠다 싶어 대책을 세우기로 했다.

천불 : 하늘이 내린 불이라는 뜻으로, 저절로 일어난 불을 이르는 말.

처음으로 천불 할 때 천자가 하늘(天)을 뜻하는지 알게 되었다. 뜻을 알고 나니 더욱 무슨 형벌로 생각된다. 나는 먼저 아침에 올라오는 천불을 다스리기 위해 생약 성분의 호르몬 약을 먹었다. 돌아보니 돌아가신 어머니도 아침이 되면 가스레인지 앞에서 천불이 올라온다고 하신 기억이 난다. 한번 올라온 천불은 두어 시간 내려가지 않고 모든 걸 뜨겁게 만들었다.

누가 일부러 나 화나라고 한 것도 아닌데 천불이 올라온 다음부턴 누구라도 그렇게 짜증이 날 수가 없었다. 누가 말 거는 것도 싫고, 누구에게 말 걸기도 싫고, 두 번 말하게 하는 것은 물론이요, 누가 되었건 근처에 오는 것도 싫었다.

그렇다면 피해자로 유력한 인물은 불을 보듯 뻔하다.

그날 아침도 계란 프라이를 하겠다고 프라이팬에 가스 불을 올렸더니 그 불꽃이 마치 나를 향하는 것 같았다. 순간 열이 확 하고 오르는데 하필 계란을 프라이팬 날 쪽에 정확히 조준하지 않아 그만 프라이팬 옆구리를 타고 적당량은 바깥으로 나머지는 안쪽 벽을 타고 모양새가 엉망이 된다. 마음이 급하니 아직 덜 익은 게 분명한데 반쪽만 뒤집다가 나머지는 그대로다. 이리저리 뒤집다가 오믈렛도 아니고 결국 형편없는 계란 주물럭이 된 것 같아 남편 것은 다시 하려고 엉망 된 프라이는 내 입으로 가져간다. 아차, 그렇게까지 뜨거울 줄은 몰랐는데 입천장이 덴다. 가슴에서 시작한 천불은 이제 활활 타올라 머리끝까지 거대한 불꽃이 된다. 그러다가 이렇게 간단한 계란 프라이 하나 몇십 년을 부쳤는데도 이 모양인가 싶어 자책모드로 들어간다. 젠장할. 빌어먹을. 사실 이보다 더한 욕이 튀어나온다.

갑자기 비가 오나 눈이 오나 몸이 아프나 새벽에 일어나 부지런히 밥을 안치고 국을 끓이고 도시락까지 싸대신 엄마가 떠올라 괜스레 울컥하기까지 한다. 이제 겨우 계란 하나 해결했는데 도저히 국은 못 끓이겠고 그냥 오늘 아침은 건너뛰었으면 좋겠다. 슬며시 뒤에 다가온 남편이 왜 그러냐고 어디 아프냐고 물어보는데 괜찮아라고 해주기 싫어 가까이 오지 마하면서 신경질을 내버린다.

남편은 숨을 고르고 있는 내 얼굴을 보았다.

그리고 다음날 약을 하나 사 왔다. 심각하게 상담하고 사 온 것이라 한다. 매일 같은 시간에 먹으라고 한다. 두어달째 먹고 있는데 신기하게도 효과가 좋아 아침 천불은 확실히 좋아진 것 같다.

그런데 그거 하나 해결했더니 평생 해 본 적 없는 고민이 생겨버렸다. 언제 부턴가 운동하면서 땀이 과하게 터진다는 점. 한여름에도 땀이 없어 늘 염소라고 불리던 내가 실내운동 한 시간 만에 아무리 에어컨을 틀었어도 속옷은 비틀어 짜도 될 만큼 젖어버린다. 그래서 항상 속옷이고 겉옷이고 충분한 여분을 가지고 다닌다. 다행인지 땀은 운동할 때만 과하게 터져서 아직 뚜렷한 대책은 마련하지 못했다.

여하튼 무언가 달라진 나를 느끼며 하루종일 평정심을 유지하기 어렵게 된 점을 인정하기로 했다. 그리고 언젠가는 떠나보낼 나의 갱년기에 대해 이번엔 당황하지 않고 꼼꼼히 이별준비를 할 작정이다. 곧 차일 것 같아서 내가 먼저 차버리고 마는 그 옛날 못된 아가씨로 돌아가기로 했다.

다단계와의 이별

< 너의 성공이 나의 성공이야 >

어느 날인가 나를 찾아온 언니가 있었다.

결혼하고 임신해서 집에서 쉬고 있을 때였는데 언니는 내 상황을 어찌 알았는지 잔뜩 약을 싸들고 방문한 것이다. 임산부에게 좋은 건강식품들이었을 것이다.

급작스런 임신은 내게 감옥과도 같았다. 대학원 공부도 더 남았고 집에서 놀고만 있을 수는 없는 상황이었다. 몸 상태도 좋지 않아 매일매일 불러오는 배만 쳐다보던 시절이었다. 그 언니는 그런 나의 불안한 멘털을 단숨에 휘어잡으며 일상의 도우미를 자처했다.

"나랑 같이 설명회 한 번만 가보자. 거기 괜찮은 사람들이 많아. 의사도 있고 교수도 있어."

언니는 처음부터 어떤 목적을 가지고 나를 방문한 사람 같았다. 나는 그걸 알아차렸지만 그땐 그게 그렇게 나빠 보이지 않았다. 마침 건네준 약들이 효과가 좋아 몸 상태도 나아지고 달리 하는 일도 없어 나는 언니를 따라나섰다. 언니는 자신의 스폰서에게 나를 소개하며 같은 학교 후배임을 강조했다. 사실 나는 그때 상품을 전달하는 마케팅 방법이나 소득으로 이어지는 판매구조 같은 건 관심이 없었다. 어차피 약은 계속 사 먹을 것 같았고, 애 낳기 전까지 몇 개월은 집에 있으니 운동 삼아 외출한다 생각하고 밥이나 얻어먹고 수다나 떨고 오자는 생각이었다.

그런데 모임에 나갈수록 나를 챙겨주는 사람이 점점 많아졌다. 하나같이 나보다 연상인 언니들이었고 고학력에 남편의 직업도 그럴싸한 중산층이었다. 속 사정이야 어떻든 겉으로만 보면 절대 다단계 같은 개인사업은 하지도 듣지도 않게 생긴 사람들이었달까.

그렇게 알게 된 언니들은 내게 하루에도 몇 번씩 전화를 하고 안부를 챙기고 밥을 사고 몸이 안 좋다 하면 한밤중에도 달려왔다. 친언니나 동생, 엄마라도 그렇게까지 내 수발을 들 수는 없었을 것이다. 임신 말기에는 거동이 불편하므로 언니들이 많은 도움을 주었고 나는 정신적으로도 의지를 많이 하게 되었다. 어쨌거나 나는 그들 사이에서 귀한 대접을 받으며 그들이 주는 건 무엇이든 거절하지 않고 거길 다녔다.

"너의 성공이 곧 나의 성공이야. 그래서 난 네가 꼭 성공하길 이 세상 누구보다도 진심으로 바란다."

그들 언니는 모임에 나올 때는 가장 예쁜 옷을 입고 나와 우아한 자세로 앉아서 고개를 끄덕이며 강연자의 설명을 들었다. 신제품이 출시되었다고 시연회를 할 때는 몇 배로 사람들이 더 많았는데 그땐 더 화려한 차림으로 앉아있곤 했다. 올림픽 공원 체육관을 빌려 성공한 분들의 이야기를 듣는 행사에도 초대받아 가보았다. 그들은 영화배우처럼 드레스를 입고 나와 자신이 이 일을 하게 된 이유와 어떻게 성공하게 되었는지 말을 하면서 중간에 눈물을 보이기도 했다. 언니들 중에는 따라 우는 사람도 있었다.

그러다가 드디어 나는 아이를 낳았다. 그런데 만 분의 일의 확률로 일어난 어떤 부작용 때문에 아이는 무사했지만 출산 후 두어 달이나 병원 신세를 지게 되었다.

병원에 있으면서 비로소 그들 언니들의 마음을 알게 되었다. 같이 행복하자던 그들은 거짓말처럼 하나 둘 내게 연락을 끊었고 어떤 사람도 병문안을 오지는 않았다. 아마 내가 퇴원을 하더라도 당분간은 갓난아기를 돌봐야 하는 산모다 보니 그들 입장에서는 사업적으로 내가 도움이 되지 않았을 것이다.

그렇다면 임신 기간 중에는 왜 그렇게 내게 잘해주었던 것일까. 알아보니 그들은 나를 연습대상 삼아 진짜 고객을 설득하기 위한 준비과정 정도의 용도로 잘 써먹은 것이었다. 나 역시 아기를 낳기 전까지만 일시적으로 활동을 할 생각이었으므로 우리의 진정성은 사실 거기서 거기였다고 생각한다.

그런데 매일을 만나고 서로의 건강을 챙기고 소소한 일상을 나누면서 미래를 약속했던 사실은 아무리 시간이 지나고 그들을 보지 않아도 한 번에 없었던 일이 되진 못했다. 서로 도달하고자 했던 목적이 달랐고 내 환경이 변했지만 어떻게 하루아침에 우리가 나누었던 것들이 아무것도 아닌 게 되는 건가 싶어 한동안 허탈하고 실망스러웠다.

그 집단 안에 있을 때는 서로에게 무엇이라도 도움이 되고 싶어 안달이 날 지경이었는데 그 테두리 밖으로 나오고 보니 아무것도 아닌 사이. 아니 아예 몰랐던 사이보다 못한 사이. 그게 다단계라는 울타리의 특징인 것일까. 그 후로는 아이 낳고 어떤 조직에든 몸담고 일하면서 나는 지금 나누고 있는 것이 아무리 소중하고 강렬해도 이 조직만 나가면 아무것도 아닌 감정이 될 것 같아 쉽게 정을 주지 않으려 노력하고 살았다. 물론 사람한테 쉽게 정을 주는 내 성향이 변하지 않아서 늘 상처받는 쪽이었지만 말이다.

젊은 날의 씁쓸한 추억으로 남은 다단계의 시간. 그때 임신했던 아이의 나이만큼 시간이 지났지만 아직도 그들의 웃음소리가 서글프다. 나중에 사랑하는 이가 생겼다고 이전 사랑이 사랑이 아닌 건 아니듯이 그때 언니들의 애정도 그 순간만큼은 진심이었다고 믿고 싶다.

두고 온 비닐 봉다리

< 새벽의 사람들을 그리며 >

그땐 몰랐는데 시간이 지나고 이젠 영영 다시 볼 기회가 없을 것 같다는 생각이 든다.

어쩌면 길 가다 마주쳐도 서로를 몰라볼지도 모른다.

우린 그저 스쳐 지나가는 인연이었던 것일까.

여성 보세 옷 매장을 운영하면서 동대문에 사입을 하러 다닐 때였다. 동대문 의류 도매 상가는 밤 12시에 오픈한다. 그때 나는 집에서 열한 시에 출발했다. 차를 운전해 시장에 도착하면 그때부터 나는 전투 모드에 들어간다. 남들 자는 시간에 눈에 힘을 주고 어깨를 풀지 않고 걸음걸이는 빠르고 힘차게 사입할 옷들을 찾으러 다니는 것이다.

시장에 가면 커다란 대봉을 어깨에 둘러메거나 혹은 땅에 질질 끌고 이동하는 사람들을 자주 볼 수가 있었다. 도저히 한 사람이 감당할 수 없을 만큼의 양을 이고 지고 하면서 사람들은 밤을 새워서 자신들이 돌아가 팔 옷들을 주워 담는다. 어떤 날은 누가 떨어뜨리고 간 것인지 두어 개 비닐봉지가 땅에 떨어져 있는 것도 눈에 띈다. 자신의 봉지와 이별하게 된 사장님은 집으로 돌아가는 동안은 인식하지 못한다. 다음날이나 되어야 아차 싶겠지. 얼마나 안타까울까 얼마나 봉지가 많았으면 그만 누락된 것일까 싶었다. 신기하게도 그렇게 땅에 떨어진 누군가의 비닐봉지를 동대문에서는 아무도 줍지 않는다. 다들 물건을 놓쳐버린 그 사장님이 다시 돌아와 무사히 찾아가기를 바라서일까.

그렇게 정신없이 도매 집을 돌아다니다 보면 새벽 4시쯤 비닐봉지들은 도저히 두 손으로는 들지 못할 양이되고 만다. 나는 그제야 대봉을 질질 끌고서 상가를 돌아다니던 사람들을 이해할 수 있게 되었다. 일정 분량 주차장에 가서 물건을 싣고 다시 상가로 돌아올 시간과 체력이 되지 않았던 것이다. 하나라도 더 사 가지고 오겠다는 욕심 때문에 중간에 멈추지도 못하고 마침내 주차장에 도착했을 때 나는 그만 주저앉아 버린 적이 있다. 오 미터만 더 걸으면 차가 있었는데. 앉으면서 비닐봉지 하나가 풀어져 옷가지들이 땅바닥에 튀어나와 널브러진 것이다. 그것들은 마치 튀어나온 내장들마냥 놀랍고도 불쌍하기 짝이 없었다. 다시 주워 담으면 될 것을 왜 그랬는지 눈물이 나려는 것이다. 보다 못한 주차장 아저씨가 비닐과 옷가지를 차에 실어 다 주셨다.

사입을 처음 해보는 내가 주말 오픈 시간을 잘 몰라 실수를 한 적도 있었다. 도매상가는 토요일 아침 6시까지만 영업을 하고 문을 닫는다. 특히 마지막 토요일은 새벽 세시부터 도매 사장님들의 휴식 시간인지라 모자란 잠도 자고 자기들끼리 음식도 나누어 먹고 한다. 그날따라 깜빡 잠이 들어 늦게 출발한 데다가 시장에 도착하니 주차할 자리도 없어 다른 블록에 주차를 하고 부랴부랴 상가를 돌아다녔다. 그 관행을 알리 없는 나는 텅텅 비어 있는 매장들에 의아해하며 어느덧 4시가 된 것이다. 사입을 하지 못해 당황해하던 나를 보고 평소에 알고 지내던 도매 사장님이 내 손을 잡았다.

같이 먹고 가요, 우리는 이게 파티야.

78

사람들은 삼삼오오 모여 식사를 하고 있었다. 엽기떡볶이였는데 살면서 먹어본 떡볶이 중에서 가장 매웠다. 다른 음식들도 자극적인 메뉴들로 차려져 있어 손이 가지 않았는데 어찌 그 마음을 눈치챘는지 이런 걸 먹어야 장사의 매운맛을 알게 된다며 사람들은 한 마디씩 거들었다. 그들 중 소매 사장은 나밖에 없었다. 내친김에 소주도 받아 마셨다.

엊그제 우리 상가에서 젊은 부부가 동반 자살을 했어요. 이삼일 커튼이 젖혀지질 않아서 이상하다 했지. 그래서 요즘 완전 초상집이야.

아직 한창인데 조금 더 살아보지. 지나가면, 시간이 지나가 버리면 다른 사람, 다른 기회가 올 수도 있는데 조금만 더 견뎌보지. 속으로 그렇게 답하며 술잔을 받았다.

그 시절 나는 책상에 앉아서 편하게 일하다가 갑자기 몸을 쓰는 일을 하자니 아주 간단한 행동도 어색하고 표정 짓는 것도 어렵기 짝이 없었다. 살다 보니 어느 새벽에 그때 매일 만났던 사람들이 야시장의 불빛처럼 반짝일 때가 있다. 언제나 힘내라 해주신 주차장 아저씨, 김밥 아주머니, 요구르트 아줌마, 박카스 언니, 어묵 아저씨, 택배 삼촌, 그리고 도매 사장님들, 그들은 내가 매장을 그만두면서 자연스레 다시 볼 기회가 없어진 사람들이다.

나는 회사라는 직장, 안온한 사무실이라는 어엿한 공간이 주어지는 곳에서 함께 밤새워 일한 동료들도 궁금하긴 하지만 가끔은 여기저기라 기억도 나지 않는 시장 사람들이 그렇게 그립다. 손과 손을 건네며 주고받았던 확실한 물건들이 있어서 그랬을까. 직접 발품 팔아 돌아다니며 만난 사람들이라 그런 걸까. 투박했지만 마음만은 따스했던 사람의 온기, 그리고 정을 느껴버려서일까.

그러던 나도 언젠가 그만 시장 바닥에 신상이 들어 있던 비닐봉지를 떨어뜨리고 돌아온 적이 있다. 그때 두고 온 내 마음 한 자락 마냥 활기찼던 새벽시장의 발걸음 소리가 아직도 잊히지가 않는다.

돈 이야기는 이별 이야기

< 그땐 내가 생각이 짧았다 >

돈을 빌리거나 빌려주면 왜 사이가 멀어지는 걸까.

한때 굉장히 친했던 친구가 있다. 청소년기 학창 시절을 같은 동네에 살다가 대학생이 되고 나서는 자연스레 멀어졌다. 사회 생활하면서부터 각자 사는 곳이 달라지고 결혼하고 나서는 남편들 직장 때문에 더욱 소원해졌다.

하지만 서로 안 좋았던 일이 없었기에 늘 언제라도 연락되면 반갑게 재회하고 시시콜콜할 수 있는 이야기는 다 하고 돌아오곤 했다. 그러다가 특별한 이유 없이 연락이 툭 끊겼다. 기념일이나 명절을 핑계로 안부를 보내면 대화를 더 이어갈 분위기가 아닌 말로 답을 하는 것이다. 바쁜가 보다, 아이 입시로 신경이 예민한가 보다, 나는 그렇게만 여기고 세월을 보냈다.

그리고 이제야 그 이유가 생각났다.

7,8년 전 내가 자영업을 할 때 현금을 융통하느라 돈을 빌려달라고 한 적이 있었다는 사실을 나는 왜 잊고 있었을까. 친구는 거절했고 결과적으로 우리 사이 금전적인 거래는 없었다. 나는 그 친구가 돈을 빌려주지 않은 것에 크게 서운하진 않았다. 그리고 까마득하게 잊어버렸다. 그런데 그 친구는 내가 자신에게 돈을 빌려달라고 한 사실이 불편하고 불쾌했었던 것 같다. 그리고 잊지 않고 있는 듯하다. 아무리 급해도 돈이야기는 꺼내지 말았어야 했는데 그땐 내 입장만 생각했다. 그걸 다른 사람들이 돈을 빌려달라고 할 때 비로소 깨달았으니 인간은 얼마나 자기중심적인가.

시간이 지나면 사실 돈을 빌린 사람보다 빌려준 사람이 더 마음이 불편해진다. 살다 보면 돈 빌려준 사람이 여유가 없을 때도 생기게 되는데 그때라고 해서 모든 돈 빌려 간 사람들이 그 돈을 갚지는 않는다. 언제 갚을지도 알 수 없다. 갑자기 갚아달라고 하기도 뭐 하다.

돈이 여유가 있더라도 괘씸하긴 마찬가지다. 저 사람은 나한테 빌려 간 돈 없어도 사는 사람인데 일찍 갚을 필요가 있나 하는 생각을 돈 빌려준 사람은 다 알아챈다. 세상에 안 갚아도 되는 돈은 없다.

돈을 안 빌려준 사람도 불편함이 오래간다. 꼭 거절하기 힘든 만큼의 액수를 말해놓고 그걸 거절한 사람을 만들어버리기 때문이다. 결국 거절한 미안함, 상대에 대한 실망, 현재의 경제적 상황, 이유를 설명하기 어려운 감정 등이 섞여 어쩐지 내가 상대의 사정을 외면하는 나쁜 사람 같은 찝찝한 기분. 빌려주어도 되지만 빌려주기 싫은 마음까지 들킨 것 같아 부탁을 거절하고 나서 진짜 두 번은 듣기 싫은 말이기도 하다.

설사 정확하게 혹은 빠르게 상환했다고 해도 돈이 오가면서 불편했던 예민한 감정들은 없었던 사실이 되지는 못한다. 그리고 그 일이 있고 나서는 이전과 똑같아지지가 않는다. 돈을 돌려준 시기, 방법, 금액, 당시의 각자 사정에 따라 필연적으로 관계는 나빠진다. 점점 그리고 마치 돈 때문은 아니라는 듯이.

돈과 일은 늘 사람의 의지와 상관없이 거짓말을 한다. 어떨 때는 과연 내가 그 이야기만 하지 않았어도 우리 사이는 변함없을까 하는 의구심이 들기도 한다. 그렇다면 지금 나와 아무 문제가 없는 지인들은 돈 이야기를 주고받지 않아서 그런 것인가, 그들도 같은 상황이 온다면 십중팔구 사이가 멀어지는 건 아닐까.

결론은 사람을 잃기 싫다면 절대 돈 이야기를 꺼내면 안 된다는 것인데 알면서도 우린 그런 저런 실수를 저지르며 살아간다. 모두들 조금이라도 자신에게는 너그럽고 상대에는 엄격하기 때문에.

물론 그럼에도 불구하고 변하지 않는 인간관계가 있기는 하다. 서로 상대방에게 너그러웠고 서로를 가여워했기에 주고받은 돈의 액수와 상관없이 더 돈독해진 경우도 있다. 하지만 주변을 둘러보면 그런 경우의 수는 확실히 드물다. 그 또한 내가 선해서라기보다 상대방이 특별해서가 아닐까.

한 순간 불편하게 했던 나를 용서하고 불편한 마음을 가졌던 자신도 이해하고 서로에게 너그러워졌으면 좋겠다. 돈은 다시 벌고 채울 수 있지만 인간관계는 처음부터 다시 시작할 수 없기 때문이다. 돈 때문에 비롯된 이별은 살면서 가장 뼈아픈 그리고 돌릴 수도 없는 헤어짐인 듯하여 쓸쓸해진다.

미안하다. 친구야. 못난 친구지만 그래서 더욱 네가 그립다. 우리 언제 다시 볼 수 있을까. 아무 일도 없었던 것처럼 다시 웃고 떠들날 곧 오기를.

다시, 다른 꿈 꾸기

< 이룰 수 있는 꿈만 꾸어야 하나요 >

일찍부터 아르바이트, 계약직, 프리랜서, 직장인, 자영업 등을 해본 경험으로 나는 스타트업을 하겠다고 도전장을 내민 적이 있다. 그러니까 나도 배달의민족 같은 플랫폼 대표가 되겠다고 창업대회를 좇아 다닌 게 벌써 7년 전 일이다. 그땐 창조경제니 경제혁신센터니 하면서 나라 전체가 새로운 창업 진흥에 지원을 많이 할 때였다.

하지만 나이가 39살이 넘어간다거나 여성이라면 신기하게도 지원금은 반 이하로 줄었다. 지원 종목도 옷가게, 떡집, 꽃집 같은 기술과 아이디어를 쏙 뺀 전통적인 여성 개인사업이 주를 이루었다. 사실상 마흔 넘은 아줌마가 아무리 아이디어가 좋다 한들 어딜 가도 왕따였다고나 할까.

그래도 굴하지 않고 특유의 파이팅으로 여기저기 좇아 다니면서 창업교육, IR 교육, SNS 마케팅, 유튜브 편집, 프레젠테이션, 애플리케이션 만들기 등을 배우고 각종 창업대회에 나가보았다. 운 좋게 한 대회에서 수상을 하고 지원금으로 사업을 추진할 때였다. 매일매일 사람들을 만나서 내 비즈니스 모델을 설명하고 함께 할 구성원들을 찾아다니다 보니 창업생태계라는 걸 알게 되었고 그 안에서 교육을 담당하는 분들도 자주 부딪히게 되었다.

"대표님은 꼭 성공하실 거예요."

그땐 정말 내가 성공하는 줄 알았다. 저 인사성 멘트를 뒤로 플랫폼 사업을 접고 그냥 내가 하던 일로 돌아가기까지 2년 정도 걸린 것 같다.

철석같이 투자를 약속해 놓고 어떤 이유에서 인지 갑자기 취소 통보를 한 사람, 똑같은 비즈니스 모델로 사업자명을 바꾸어 지자체마다 지원금을 받아낸 친구, 차마시며 주고받은 아이디어를 쏙 가져가 본인 대회 작품으로 응모한 사람, 아이디어를 듣고 자신이 투자를 받아오겠다고 해놓고 카드값만 쓰고 온 사람, 애플리케이션 제작 마지막 단계에서 연락두절로 잠수를 탄 개발자.

나는 어느새 그렇고 그런 사연이 많은 창업자가 되어 있었다. 물론 이 모든 걸 극복한 자 만이 성공이라는 열매를 얻었을지 모른다.

창업생태계는 자고 일어나면 빠르게 어제와는 다른 일, 오늘보다 새로운 소식이 넘치고도 넘쳤다. 사람들은 누구든 빠르게 결정하고 누구보다도 신속하게 행동했다. 그 시기를 떠올리면 어떤 특정한 사람이 생각난다기보다 많은 사람들이 각기 걸어가고 있는 장면이 스쳐 지나간다.

마치 차량은 모두 정지한 채 수많은 인파가 동시에 사방으로 길을 건너던 시부야 교차로와 같다고 할까. 사람들은 불이 초록색으로 바뀌길 기다리며 건너편을 바라보고 있다가 요이 땅, 불이 바뀌면 거대한 인파가 되어 움직인다. 지난 3월 도쿄 출장 때 마침 시부야에 숙소를 예약했는데 토요일 오전인데도 사람들은 평일보다 더 많았다. 실제로 그 인파 속에서 길을 건너보니 어떤 거대한 물결 위에서 내가 아닌 파도의 흐름에 떠밀려 장소를 이동하는 것 같았다. 잠시라도 한눈을 팔면 사람들과 부딪히거나 나는 늦게 도착할 것이다.

나의 발랄하고 깜찍했던 스타트업 도전 시기는 그 파도의 흐름을 온몸으로 받아들이지 못해 멈출 수밖에 없었다. 가장 아쉬워했던 분들은 사업의 진전 사항을 지켜보던 자문가들이었다. 묘하게도 다른 아이템으로 사업을 구체화하고 있는 팀들은 경쟁 상대가 줄어든 것에 알 수 없는 안도감을 느끼는 듯했다.

그때 나는 그 후유증을 이겨내기 어려울 것 같아 부러 바로 다른 일을 시작했다. 그리고 뒤도 돌아보지 않고 죽도록 그 일에 매달렸다. 숨을 크게 쉬고 멈추면 다시는 달리지 못할 것 같았기 때문이다.

가끔은 그 시절 내 아이디어가 알려진 세상, 그 세상에서 빛나고 있을 나 자신을 꿈꾸며 많은 사람들을 만나고 헤어진 시간들이 생각난다. 돌아보니 꿈이 있다는 건 참 살만한 일이다. 어느 인터뷰에서 이효리가 말했다. 꼭 이룰 수 있는 꿈만 꾸어야 하냐고. 나는 그 대답이 참 신선했다. 우리는 일치감치 오르지 못할 나무는 쳐다도 보지 않는 방식으로 사는데 익숙해진지 오래지 않은가. 그래놓고 가까운 지인들 중에 누가 앞서가거나 크게 잘되기라도 하면 그 사람을 은근히 깎아내리거나 티 안 나게 부정하기도 한다.

꿈을 크게 가졌던 시절이 그립다.

우리 모두는 언제나 꿈을 꾸고 무언가 실패해 상처를 받았던 기억이 더 많다. 한때 꾸었던 꿈과 남몰래 이별하기란 또 얼마나 쓰라린가. 살면서 꿈이 꼭 한 가지여야만 하는 것은 아닐 테다. 또 그 꿈을 이루었다고 내 인생에 더는 꿈을 꾸지 말라는 법도 없을 것이다.

그래서 나는 또 꿈을 꾼다. 이별은 누가 되었건 어떤 시간이었건, 그때 꾸었던 모든 꿈들을 접는 일일 것이다. 따라서 일어나 다시 꾸는 꿈이야 말로 혼자 했던 모든 꿈과의 이별에 대한 위로가 아닐까 싶다.

약자인 듯 약자 아닌

약자 같은 그녀와의 이별

< 나는 상처가 많다고요 >

그녀와 헤어졌다.

그녀는 한국에서 태어났지만 태어나자마자 입양되었다. 그녀는 40년 넘게 친부모의 얼굴도 이름도 모른 채 살았다. 미국에서 대학교까지 마친 그녀는 한국에 들어와 일을 하고 싶어 했다. 무슨 일이 있었는지 그만 암에 걸려 투병생활을 했다고 들었다.

우여곡절 끝에 그녀는 우리 회사와 인연이 닿았고 서울살이를 하며 한국인으로 살기로 했다.

그녀는 항암치료 때문인지 머리에 숱이 없었으며 얼굴은 늘 부기가 빠지지 않아 부스스해 보였다. 대충보아도 아주 도수가 높은 안경을 쓰고는 언제나 투명한 배낭을 메고 다녔다. 해수욕장에서나 볼 수 있는 비취백 종류였다. 배낭 안에는 각종 소지품과 지갑, 휴지, 충전기 등이 무슨 잡동사니들처럼 섞여서 그대로 내용물을 노출하고 있었다. 회사에 왜 그런 가방을 메고 다녀요 하고 물으니 벼룩시장 같은 데서 거의 무료로 샀다고 했다.

그녀는 도시락을 싸서 다녔는데 주로 먹다 남은 치킨 조각, 과일조각, 과자 등이었다. 어느 날은 통장을 보여주며 잔고가 십만 원 밖에 없어서 밥을 사 먹기가 어렵다고 했다. 그녀는 한국말이 서툴러 감정표현은 영어로 말했다. 화가 나거나 기분이 좋을 때 영어로 더 크게 말하곤 했다. 웃음소리도 기괴했는데 자신이 어색하거나 어떤 반응을 보여야 할지 아리송할 때 그렇게 하는 것 같았다.

그러던 그녀가 업무적으로 실수를 하여 상대 거래처에게 피해를 입힌 일이 있었다. 사람이 할 수 있는 단순한 착오였지만 그녀는 너무나 괴로워했다. 그녀는 자신에게 누군가가 잘못이라고 말하는 것에 필요이상의 상처를 받는 것으로 보였다. 그날 이후 그녀는 나는 입양아예요. 당신들은 부모의 얼굴을 알지만 나는 알지 못했어요,라는 말을 자기 방어용으로 반복하기 시작했다.

우리가 그녀를 입양 보낸 것이 아니었지만 우리는 그녀에게 미안해해야 했다. 그녀는 늘 어떤 보상심리가 있어서 사람들이 자신에게 잘해주어야 하고 가장 먼저 자신을 배려해야 한다고 여겼기 때문이다. 그녀는 직원들이 청소를 할 때도 가만히 자리에 앉아 있었다. 암환자였기에 먼지를 마시면 안 되는 줄로 알았는데 자신의 자리는 깨끗하니까 안 해도 된다는 것이 이유였다. 그녀는 일주일에 한 번은 몸이 안 좋다며 출근을 하지 않았고, 그날은 또 언제가 될지 알 수 없었다.

그녀를 보면 성난 고양이가 생각났다. 얌전하게 앉아서 있다가도 누군가 자극을 주면 금방이라도 할퀼 준비가 되어 있었다. 미국에서 인종차별과 외모 때문에 따돌림을 많이 받았다고 했는데 그녀를 보면 특별히 인물이 없어서라기보다는 오랜 세월 사랑을 받지 못한 얼굴로 보였달까.

그녀는 대화의 선상에서 자신이 아는 내용이 나오면 절대 다른 이의 다른 의견을 인정하지 않고 끝까지 자신이 맞다고 주장했다. 별로 중요하지 않은 정보일지라도 그녀는 목숨 걸고 지켜내야 하는 가치라도 된다는 듯 필사적이었다. 그런 에너지를 쓰고 난 후의 그녀는 울먹일 때도 있었는데 아무도 그녀를 울린 사람은 없었다.

모든 것이 너무나 과했다.

사람들은 그녀 옆에 가지 않았고, 그녀와 말하려 하지 않았고, 그녀와 밥 먹으려 하지 않았다. 더불어 늘 새로이 구성원이 생기면 그녀와 꼭 불화가 생겼다.

그런 그녀가, 회사를 그만두었다. 아무도 그 이유를 알지 못했다. 하지만 또 알 것 같기도 했다. 그녀는 사람들에게 사랑받고 싶었던 마음이 유난히도 컸던 것 같다. 그리곤 사랑받을 수 없음을 깨닫고 너무나 크게 좌절해 버린 것 같다. 어린 시절 충분히 사랑받지 못해서가 아닐까 추측해 본다.

참 안타깝지만 그녀는 사회생활을 할 수 있는 성인으로 성장하지 못한 채 나이만 먹어버린 것이다. 그러다 보니 자신의 상처를 무기화하면서 누가 되었건 마주한 상대에게 감정적 우위를 가지려 했다. 처음엔 관심이나 배려를 얻고 싶었겠지만 받으면 받을수록 더 원하게 된 것이다.

우리는 가끔 약자가 곧 착한 사람이라는 착각을 할 때가 있다. 혼자 착각을 해 놓고 약자라 인식한 대상이 무언가 강하게 나올 때 마찬가지로 당황해 하면서 상처를 받는다. 내 딴엔 더 배려하고 양보했다고 생각하기 때문일 것이다.

상처가 많은 사람은, 상처의 이력 부분에선 강자이다. 상처들의 경력은 강력한 방어기제를 만들어 버린다. 그러므로 방어기제가 강한 사람은 인간관계에서 절대 약자가 아니다. 그녀 역시 약자가 아니었던 것이다.

그녀가 다른 곳에 가서도 똑같은 상처를 반복하며 살 것 같아 마음이 무겁다. 더 애쓰지 않아도 충분히 사랑받을 자격이 있고 당신이 잘못했다 하여 당신을 거부하는 것은 아니라고 꼭 말해주고 싶다.

40년간 나로 살았던 그것들

< 잘가라, 무거웠던 내 얼굴 >

안경과 이별했다.

같이 한 세월에 비해 이별은 참으로 즉흥적이었다.

내가 안경을 처음 쓰게 된 것은 80년 대 잠자리 안경을 쓰고 나와 종이학을 부르던 가수를 따라 하던 중학교 시절부터다. 지금 생각하면 어이가 없는데 그땐 안경을 쓰겠다고 일부러 눈이 나빠지는 방법을 찾아다녔다. 어차피 아버지가 근시여서 때 되면 유전으로 안경을 쓰게 될 것이었는데도 말이다.

그 후로 거의 40년 정도 나는 안경을 쓰고 벗는 생활을 지속했다.

서른 살까지는 늘 쓰고 다닌 건 아니고 안 보일 때만 근시용 안경을 착용했다. 하지만 벗고 쓰고 하다 보니 반달이 곰 얼굴처럼 보이는 난시도 생기고 점점 시력이 나빠져 안경 없이는 운전도 할 수 없었다. 아이를 낳고 나니 갑자기 시력이 나빠지기도 했다. 평생을 책 읽고 글 쓰고 말하는 직업인으로 살다 보니 컴퓨터를 볼 때 안경을 벗어 본 적은 없었던 것 같다.

그러다가 자외선 때문에 눈물이 나서 선글라스에도 도수를 적용해 외출할 때 장시간 벗지 못했다. 격무에 시달리고 스트레스를 받으면 바로 눈으로 피로가 몰려와 눈은 나의 특별한 취약지구가 되고 말았다.

한 번은 밤을 새우고 나서 운전을 하니 하얀색 도로선이 잔상을 남기며 나를 혼란스럽게 만들었다. 분명히 직선도로에 진입했건만 나의 눈에는 방금

전 곡선이 남아 있어 그만 도로선은 두 줄로 보이는 것이다. 어떤 날은 계단의 높이가 느껴지지 않고 미끄럼틀로 보이기도 했다. 바닥의 단 차가 있는 카페에서는 아무 일도 없었는데 자주 넘어졌다. 야간 운전을 오래 할 때면 초록과 빨강의 빛 번짐 때문에 두 색깔 간의 큰 차이를 못 느낄 정도였다.

오랜 세월 습관적으로 해온 눈화장도 시력에 좋을 건 없었다. 자주 눈물이 나니 마스카라는 꿈도 못 꾸었고 워터 프루프 아이라인도 귀찮았다. 내사시 판단을 받고 의사는 긴 세월 조금씩 아이쉐도우가 눈에 들어간 이유로 눈이 건조해진 것이라고 말하기도 했다. 가방에는 항상 지금 쓰고 있는 안경 외에 편광렌즈의 운전용 선글라스, 컴퓨터용 이렇게 두 개가 더 들어 있었다.

아이가 갓난아기일 때는 얼굴을 자주 만지기 때문에 안경을 쓰고 있을 수가 없는데 하루는 안경을 벗은 채로 아이를 업고 베란다를 나가다가 유리창을 인식 못하고 그대로 얼굴을 창문에 박아 큰 혹이 난 적도 있다. 안경을 벗어놓으면 아이가 밟아서 다리가 부러진 것은 또 몇 개인가. 안경을 벗으면 안경이 어디에 있는지 안 보인다는 점이 언제나 안경 쓰는 사람들을 괴롭히지 않던가.

여름이면 코에 땀이 나고 겨울이면 실내에 들어갔을 때 김이 서린다. 운동할 때는 또 얼마나 불편한가. 놀이공원에서 롤러코스터를 탈 때도 불편하다. 수영할 때는 또 어떤가. 사우나에서도 온 세상은 뿌옇다. 오랜 세월 안경

착용으로 얼굴은 변형되고 인상도 변한다. 콧잔등에 안경으로 눌려진 자국은 결국 착색이 되고 무슨 훈장처럼 점점 더 선명해진다.

가끔 사람들을 보기 싫을 땐 커다란 선글라스로 내 얼굴의 표정을 가리기엔 좋았다. 오래 눈이 안 좋은 경험을 해서 그런지 안경을 벗으면 보이는 게 별로 없으니까 주변의 시각적 정보에도 예민하지 않게 되었달까. 안경을 쓰는 행위로 무언가 집중할 때 나만의 루틴을 시작하는 느낌도 나는 좋았다. 웃긴 건 내가 안 보이니 남들도 그런 줄 알고 살아간다는 것이다.

그렇게 안경이 나의 진짜 눈이 되어 내 신체의 일부가 되었을 때 나는 뒤늦게 수술을 결정했다. 시력 개선에 대한 바람보다는 갑자기 안경을 쓰고 벗는 게 너무나 귀찮고 무겁고 지긋지긋해졌기 때문이다. 코로나 시기 거의 3년을 마스크와 모자와 함께였어도 안경을 쓰고 다녔던 내가, 이젠 그만 내가 가진 모든 안경을 다 부숴버리고 싶었다.

결국 노안라식을 했는데 수술한 첫날부터 이걸 왜 이제 했나 싶어 새삼 지난날을 돌아봤다. 사람은 참 익숙한 고통을 잘도 받아들이며 자기 것으로 만들고들 살아간다. 새롭고 더 좋아지는 방법이 얼마든지 있는데도 이 핑계 저 핑계를 대며 괜한 고집을 부리곤 한다. 눈이 나빠진 것이지 마음이 흐려진 것은 아니라 생각하고 살았는데 그게 아니었던 것 같다.

눈, 코, 입, 귀는 사람의 감각이 반응하는 신체기관이다. 감각기관의 퇴행이 오면 일상의 불편은 당연하고 뇌의 인지와 판단, 나아가서는 삶의 가치관

까지 영향을 주는 일이었다. 어쩌면 나는 안경과의 이별이 아니라 내가 맞다는 고집, 괜찮다는 억지와의 이별은 아니었을까 싶다.

나는 요즘 나 혼자 미니멀리즘을 실천 중이다. 새로 이사 간 사무실에 책꽂이에는 책을 안 꽂는다. 무엇이든 쌓이는 게 싫다. 손에 뭘 들고 다니는 것도 싫다.

이젠 좀 가볍게 살고 싶다.

(덧붙이는 글 1 : 그리고 진짜 진짜 눈 수술을 한 이유를 고백하자면 골프를 시작하고 티샷 할 때 공이 잘 보이질 않아서, 이게 반 이상 차지했다. 안경 때문에 시야가 가리는 것 같아 너무 짜증이 나는 것이다. 골프 실력이 늘지 않는 것이 마치 안경 때문인 것 같았다. 사람은 이렇게도 참 단순하다.)

(덧붙이는 글 2 : 살면서 안경을 잃어버린 때가 있었다. 출장 간 파리에서 테제베를 타고 어디론가 향하던 시간이었다. 파란색 동그란 선글라스였는데 그걸 테제베 안에다가 놓고 나온 것이다. 나중에 어떤 좋은 브랜드의 디자인을 사도 그게 그렇게 생각나고 아까울 수가 없었다. 안경을 벗고 나니 그 아쉬움과도 안녕이다. 잘 가라 파리 선글라스!)

이별하고 돌아앉은 당신과 나

< 쓰라린 이별 숨기고 있어도 >

아무리 이별의 슬픔을 떠들어봐도 인생에서 가장 강렬한 이별은 사랑하는 사람과의 이별일 것이다.

저마다 처음인 듯 사랑을 하면서도
쓰라린 이별 숨기고 있어도
당신도 그런저런 과거가 있겠지만
내 앞에선 미소를 짓네요

어느 노래 가사에 이런 구절이 있다. 특별한 문장이 아닌데 무언가 들킨 듯 참 와닿는 구절이다. 단어 중에 '쓰라린 이별', 이 표현도 맘에 든다. 친구나 동료, 가족과의 이별은 쓰라리기보다 좀 더 묵직하지 않은가. 육체적인 상처로 예를 들자면 아마 길가에 넘어져 무릎이라도 깨졌을 때 벌겋게 벗겨진 살갗에 스며드는 첫 번째 소독약의 느낌이라고나 할까.

사랑과의 이별은 더 직접적이고 몰입형이고 실감형이다. 바로 어제까진 서로에게 둘도 없었던 소중한 존재였을 테니까 말이다. 그게 참 거짓말 같기도 한 것이 어떻게 하루아침에 갑자기 모르는 사람이 될 수 있을까. 사랑은 보통 서로의 일상을 지배하며 깊게 공유되어 있다. 얽힌 실타래를 풀 듯 24시간, 일주일, 한 달, 일 년의 시공간을 억지로 분리하기란 얼마나 고통스러운 일인가.

옛날이야기를 하자면, 그땐 휴대폰도 인터넷도 없어서 이사를 가거나 전화번호가 바뀌면 물리적인 이유 때문이라도 다시 만나기 어려웠던 시절이 있었다. 그나마 학교를 다니고 회사를 다닌 다는 것은 일정하게 오고 가는 장소가 있다는 의미이니 그 사람의 소속에 전화를 하는 것이 더 쉬웠다. 각자 방에 전화가 있지 않았던 집이 많았으므로 상대가 연락을 하지 않을 때 우린 그렇게 그가 다니는 어딘가에 전화를 하곤 했다. 그래서 받기 싫은 전화가 걸려올 땐 함께 있던 옆 사람이 부재중이라는 통보를 해야 했고, 그 소식을 몇 차례나 확인한 후에야 전화한 쪽은 만남을 포기하는 경우도 많았다. 답답하고 막막했지만 이별하고 나면 지금처럼 상대의 소식을 알아보거나 확인할 길이 거의 없어 어쩌면 더 잊고 잊히기는 쉬웠던 것 같다.

나 역시 누군가를 기다리게 해 놓고 나가지도 않고 연락을 받지도 않는 방식으로 상대를 포기시킨 적이 있다. 바로 앞에서 이별을 진행하자 할 자신도 없고 무엇보다 다시 얼굴을 보면 헤어지기가 힘들 것 같아 그렇게 한 적이 있다. 지금 생각해 보면 참 못된 짓이었다. 상대를 배려하긴커녕 내 감정 위주로 나 편한 방법으로만 관계를 정리하고자 한 것이니 말이다.

어떨 땐 이별하고 나서도 좋은 사람으로 기억되고 싶은 욕심에 화 한번 내지 않고 위선을 떨면서 상대를 배려하는 척한 적도 있다. 어차피 깨어진 유리잔이라 풀로는 붙이지 못할 걸 알면서도 잘할 수 있다고 우리는 문제없다고 억지를 부린 적도 있다. 분명히 헤어졌으면서도 그 후로 몇 번 더 만남을 가지고선 그제야 서로 식은 마음을 확인한 적도 있다. 진짜로 헤어질 생각이 없었으면서 상대에게 헤어지겠다고 엄포를 놓은 적도 있다.

어떤 이는 만나고 있으면서도 언젠가는 헤어질 순간이 그려져 그 마음이 일어나는 것이 싫어 헤어져 버린 적도 있다. 어이없게도 만남의 시간과 강도에 비해 너무나 쉽게 서로를 버린 적도 있다. 헤어지고 나서도 한참 동안 실감이 나지 않아 혼자서 이별을 인정하지 않았던 적도 있다.

어쨌든 나는, 우리는 때론 서툴게 그리고 가끔은 익숙하게 이별을 해왔다.

그리곤 나이 들어보니 이별은 서로 공평하게 아픈 것이지 어느 한쪽이 더 아프고 덜 아픈 것은 아니라는 결론을 얻었다. 또 당시의 아픔이라고 하는 것은 결국 상대와 헤어지는 것으로 발생하는 나의 지극히 주관적이고 개인적인 고통과 괴로움인 것이지 상대를 향한 감정이 아니라는 것이다. 우리는 고통의 크기가 크다고 생각하니까 슬픔의 강도가 세다고 느끼는 것이다. 그도 그럴 것이 젊었을 때 연애와 이별은 얼마나 큰 사건인가. 하지만 죽을 만큼의 절망스러운 시간이니 절절한 아픔이니 하는 것도 실은 아주 이기적인 본능의 감정일 뿐 결코 영원하거나 실체가 있는 무엇이 아니라는 것이다. 그렇게들 서로 죽고 못 살았으나 헤어진 사람들이 얼마나 많은가. 그리고 이별 후 아무 일 없었다는 듯 다른 이와 또 다시 죽을 만큼의 사랑을 하고 사는 사람들이 얼마나 많은가.

그럼 나이가 들면 덜 아프고 덜 슬플까.

병원에서 주사를 맞을 때를 떠올려본다. 살면서 주사를 많이 맞아 봤고, 어떤 종류의 아픔인지 뻔히 잘 알지만 그렇다고 해서 새롭게 맞을 때 안 아픈 것은 아니듯이 이별도 많이 해봤다고 해서 다음번 이별이 그전보다 덜 아픈 것은 아닐 것이다. 다만 이별을 많이 해보고 상대를 통해 나라는 인간의 나약한 면모를 입체적으로 확인하였으므로 조금 더 나은 이별, 이별 후 더 성숙한 시간, 아픔을 다스리는 방법에 대한 성과는 나이만큼 얻었다 믿고 싶다.

나이가 들면 절절한 사랑 같은 확실한 감정 말고도 다른 감정들을 많이 겪게 된다. 꼭 빨강이 아니라 연한 빨강이나 분홍, 아니면 그와 이웃인 주홍이나 주황도 보고 듣게 된다. 그러다 보면 비슷한 것들은 패키지로 싸서 그냥 붉은 보따리로 묶게 된다. 그래서인지 돌아보면 이별도 스쳐 지나간 그런 저런 과거가 되고 당신 앞에서 미소를 지을 수 있게 된다. 신기하게도 우린 그토록 아팠던 이별들과 이별하는 순간을 결국 맞이하게 된다.

그러니 이토록 확실한 삶의 이치를 부디 믿고 죽도록 사랑한 그 사람과의 이별에 그만 절망을 거두시라.

사랑은 다시 오고, 이별도 덮어진다. 사랑이 가고 이별이 다시 와도 우린 다시 살 수 있다. 아무리 죽을 것 같은 괴로움도 결국은 사라진다. 그렇게 돌아와 앉은 나와 당신인 것이다.

말하기 싫었던

그러나 말하고 싶었던

< 죽을 것 같아도 살아지다 >

이제 나는 저 깊은 곳에 숨겨둔 나만의 이별 이야기를 해야 할 때가 왔다. 꼭꼭 숨겨둔 이별 상자를 열어서 나는 이런 이별도 해봤노라 그러니 내가 당신들보다 더 슬펐고, 지금도 슬프고, 앞으로도 슬플 거라 주장해야 할 시간이 왔다.

내가 이별에 대해 특별한 감정과 더 깊은 생각을 해야 했던 이유가 있다.

어떤 사람은 누군가와 비밀스러운 관계였기에 누구에게도 털어놓지 못한 이별을 했을 수도 있다. 그런 이별도 특별한 이별로 여겨 드릴 수 있다. 어떤 경우는 내 쪽에서 원치 않는 이별을 했기에 혹은 이별의 과정이 힘들었기에 아니면 이별 후 시간이 고통스러웠기에 누가 묻지 않는 한 입 밖으로 꺼내놓는 콘텐츠가 아닐 수도 있다. 모두 공감하고 고개 끄덕일 수 있다. 그래도 나 만큼은 아니라고 말하고 싶지만 말이다.

나는 이제 앞으로 남은 인생 동안은 절대로 그런 종류의 이별을 하고 싶지가 않다. 아니 나에게 그때와 같은 방식으로 이별을 주어서는 안 된다. 삶이라는 불확실한 확률 속에서도 앞으로 두 번은 내게 일어나지 않을 이별이 될 것이라 믿는다.

나의 어머니는 그날 그렇게 허망하게 삶을 마치셨다.

이른 봄이었다. 봄꽃이 하나둘 피기 시작할 무렵 엄마는 꽃구경을 가셨다. 엄마는 자신이 죽기 전날 자신이 죽을 것을 알지 못하셨다. 늘 그렇듯 나는 퇴근하며 전화를 했고 엄마로부터 아이는 밥 잘 먹고 잠이 들었다는 대답이 들려왔다. 현관문을 열고 들어갔을 때 엄마는 '간다' 하시며 비로소 집에서 퇴근을 하셨다. 깃털처럼 가볍고 깨끗했던 엄마의 뒷모습은 내가 본 엄마의 마지막이었다.

그다음 날 나는 출근하면서 안개가 유난히 많다는 뉴스를 듣고 그 시간엔 잘하지 않던 전화를 했다. 8시 20분이었던가 전화기 너머로 큰 이모, 막내 이모의 깔깔거리는 웃음소리가 들려왔고 소설로 치면 복선과도 같았던 안개 소식은 벌써 잊은 채였다.

"엄마 좀 빌릴 테니 며칠만 참아"
"우리야 막히면 놀면서 가면 되지."

엄마의 목소리도 어제의 어두운 표정과는 달리 밝아 보였다. 하지만 그 목소리 역시 세상에서 내가 마지막으로 들은 엄마의 목소리였다.

엄마의 사고 소식을 들은 날 나는 너무 외로웠다.

외로움 같은 감정을 크게 느끼며 살아오지 않는데 확실하게 그날은 미치도록 외로웠다. 나는 그날 밤 뉴스에서 엄마의 사고 장면을 다시 한번 볼 수 있었다. 사고를 낸 버스 운전수의 어눌한 목소리도, 사고를 목격한 사람의 흥분한 인터뷰도 남일 보듯 그렇게 똑똑히 볼 수 있었다.

"우리 엄마가 뭘 잘못했어. 다 이모들 때문이야. 이모들이 죽어야지. 우리 엄만 아냐... 우리 엄마 불쌍하잖아. 우리 엄마 억울해서 어떡하라고..."

엄마는 오랫동안 아버지 병시중으로 몸과 마음이 편치 못하시다가 아버지 가시고 겨우 병원에서 해방된 지 얼마 되지도 않은 시점이었다. 이제야 건강하게 손자 재미에 행복을 느끼고 사시는 중이었다.

억울하고 또 억울하여 가슴이 터질 것만 같아 내 가슴을 쳐보면 애꿎은 눈물만 주르륵 흘렀다. 잠시 영안실 뒤편에서 울다 지쳐 깜박 잠이 들었던지 엄마의 환영을 몇 번이나 보았고 엄마는 내 손을 잡으려 다가오는데 놀란 내가 기겁을 하며 소리를 지르며 깨어나곤 했다.

"저는 그때 그 할머니 내리시던 그 표정 뭐랄까 설레고 미소 짓던 그 표정을 못 잊겠어요. 혹시 그분... 따님이세요?... 죄송해요... 제가 그날만 생각하면 아직도 가슴이 뛰어서..."

"혹시 현장 주변에 할머니들 신으시는 신발 못 보셨어요?"

"신발이요? 아... 그게 그러니까 저쪽 화단에 한참 동안 걸려있었죠. 오른쪽 짝이었는데 한동안 그 자리에 그대로 두었다가 엊그제 치웠어요. 너무 을씨년스럽게 있어서 쓰레기 정리하는 아저씨한테 치워달라 부탁했지요. 이렇게 늦게라도 오실 줄 알았으면 치우지 말걸 그랬네요. 오실 분들이면 벌써 왔을 거 같아서... 어쩌나 죄송해요."

세상에 한 사람이 없어졌는데 나에게는 세상 전부가 사라진 것 같았던 그날. 앞으로 어떻게 살아야 하는지 도무지 생각이 나지 않았던 그 날들.

하지만 이제 다시는 봄마다 엄마를 소환해서 같이 산책을 가자고 떼를 쓰지 않으려 한다. 나랑은 꽃구경도 한번 못 가보았다고 엄마를 미워하지 않을 생각이다. 내년에 봄은 다시 올 것이고 꽃은 또 피겠지만 구경 가신 그 손을 이만 뜨겁게 놓아야 할 때 인 듯해서다.

십오 년이나 지나서 나는 그날 엄마가 전에 없이 불렀다던 노래가 무슨 노래인지 알 것 같다. 3월 이른 봄치곤 유난히 따스했던 그 봄날 엄마는 진정으로 살랑이는 봄바람에 행복한 여심이었을 것이다.

이별의 슬픔은 때로 두려움을 넘어 공포로 다가오기도 한다. 하지만 죽을 것 같은 그 마음도 언젠가는 살고 싶은 마음으로 싹트는 날이 기어이 온다.

그래서 세상의 모든 이별에 대해 고개 숙여 위로와 격려를 드린다. 이별이라는 도움닫기로 다시 세상에 한 발자국 내딛는 당신들이 있어 외롭지 않은 오늘이기에.

이별하기 참 좋은 계절

< 지금 결심하세요 >

가을이 깊어지면 자꾸 달력을 보게 된다. 앞으로 챙겨야 할 날들이 얼마나 남았는지 이것저것 확인하다 보면 더 이상 넘길 종이가 없는 걸 보게 된다. 곧 연말이겠구나, 또 한 살 더 먹는 건가 이런저런 생각에 나도 모르게 큰 숨을 쉬면서 말이다.

모든 축제가 다 끝나고 난 늦가을은 이별하기 참 좋은 계절인 듯하다. 차디찬 겨울을 앞두고 누구든 서로 헤어지지 말아야 하는데 이상하게도 단풍이 마무리되는 계절엔 무언가 결심을 하게 되는 것 같다. 특별히 이별하기 적당한 계절이 있을까마는 새로이 시작하는 봄은 헤어지기에 예의가 없고, 여름은 이별까지 할 에너지가 부족하고, 겨울은 조용히 내년을 준비하기에 적당하기 때문이다.

무엇보다 가장 큰 걸림돌은 달력에서 눈에 확 띄는 12월 25일, 성탄절이다. 꼭 교회를 가지 않더라도 그날은 연말의 분위기와 함께 서로의 사랑을 나누고 싶은 특별한 날이니까. 그런데 어쩐지 더욱 사랑하고 싶은 날이 다가올수록 깊은 마음속에서는 자꾸 신호를 보내는 것 같다. 무언가 더는 지속하는 게 좋을 것 같지 않다는 마음을 실천하기에 이보다 더 좋은 날이 없을 것 같다. 이 마음을 숨기고 성탄을 같이 보내고 또 내년을 맞이한다는 건 나를 속이고 상대를 속이는 일이라는 데 확신과 동의가 굳어지는 순간, 그 시즌이 바로 11월이 아닐까.

그래야 분위기에 휩쓸려 상대와 성탄이나 연말 계획을 잡지 않을 수 있고 약속을 잡지 않아야 헤어지기가 더 쉬울 것이고, 그렇게 올해를 마무리 지어야 새로운 시작을 할 수 있을 것 같은 몹쓸 이기적 심사가 발동하는 시간.

며칠 전 세계불꽃축제 때문에 올림픽대로에서 꼼짝을 못 하고 갇힌 시간이 있었다. 불꽃이 하나둘 밤하늘에 터질 때 막히는 도로 가운데에서도 나는 그 장면을 혼자 보는 게 가장 아쉬웠다. 아름답고 놀라운 장면은 함께 보고 싶고, 맛있는 음식은 같이 먹고 싶고, 좋은 곳은 같이 가고 싶고 우리들 대부분은 사랑하는 사람과 나누고 싶은 것들이 비슷하다. 심지어는 누군가와 헤어졌더라도, 아니 헤어졌기 때문에 그 마음은 단번에 사라지지 않는다. 그리고 우리는 그렇게 공유한 시간들이 사실은 헤어지고 나서 얼마나 그립고 애틋한지 잘 안다.

그래서 결론은 그런 중요한 순간을 더는 만들지 않겠다는 다짐이 바로 가을 축제와 단풍의 결과인 것이다.

그런데 사람 마음은 참 알 수가 없어 바로 그 똑같은 이유로 혼자인 사람들은 그 늦가을을 견디지 못하고 누군가를 간절히 찾기 시작한다. 아무도 없이 연말연시를 맞이하기가 두렵고 긴 겨울을 혼자이기가 싫은 까닭이다. 하지만 그렇다고 너무 쉽게 사람을 취하게 되면 대개는 또 완연한 봄이 오기 전에 헤어지기 마련이다. 꽃이 피고 봄바람이라도 불면 꼭 움켜쥐고 있던 미련 같은 걸 후하고 날려버릴 수 있는 용기가 싹트기 때문이다. 영문도 없이 2월 말 즈음 상대가 연락을 툭 끊고 갑자기 감당할 수 없는 일이 생겼다거나 급한 일을 마무리해놓고 다시 만나자는 등 하는 건 봄이 오기 전에 우리 사이 꽃이 피는 건 보지 않겠다는 양심선언이다.

하지만 이별을 했다고 그 빈자리를 채우기 위해 바로 다른 이를 택하거나 만남을 만드는 것은 빈번한 이별을 낳게 되는 지름길이다. 아무리 같은 장소를 가고 같은 음식을 먹고, 같은 행위를 해도 사람이 다른데 어찌 같은 마음일 수가 있겠나. 공허한 내 마음을 달래기 위한 도구로서 상대방을 취하는 것이기 때문에 어떤 것도 결코 상대를 존중하는 결정을 하지 않게 된다. 만남의 관성 때문에 일정 시간 연애를 이어가고 헤어졌더라도 그 후유증은 반드시 내가 겪어야 할 나의 숙제임을 명심해야 한다.

하여, 이별하고 나서는 이별에 에너지를 쏟아버린 나 자신을 좀 내버려 두는 시간이 필요하다. 겨울은 길고 밤도 길기 때문에 외롭기만 할 것 같아도 의외로 무언가를 쌓기에 안성맞춤이다. 오래전 누군가와 헤어지고 나서 죽어라 책만 읽고 되팔고 또 사고 읽고 하던 시절이 있었다. 저녁 시간에 다른 생각을 하지 않기 위해 운동을 해서 모든 기운을 소진시키고 들어오자마자 씻고 자버린 적도 있다. 무엇이든 성과가 나는 일을 새로이 시작하고 그것에 매진하고 이 삼 개월 버티다 보면 다음 계절이 와 있을 것이다.

이렇게 이별을 계획하고 실천한 사람이 아니라 그것을 일방적으로 당하는 쪽은 상처가 더 크다고 여길 수가 있는데 앞으로 진행될 상처 총량의 법칙으로 보면 꼭 그렇지도 않다. 예상치 못하게 이별을 고지받고 준비도 못한 채 헤어지는 쪽은 그 순간의 충격과 고통은 더 클지 몰라도 그렇다고 해서 회복하는 계기나 과정이 더 힘든 것은 아니다. 당한 쪽이 외려 더 잊고 돌아서기 쉬울 때도 있다. 분노와 원망의 에너지가 더 많기 때문이다.

여하튼, 이별을 준비하고 있다면 지금이다.

해는 빨리 지고 밤은 점점 길어진다. 노을은 말할 수 없이 찬란하고 새벽안개는 더할 수 없이 아련하다. 시월이 지나면 산과 들과 바다의 색깔은 달라진다. 어쩌면 차가운 머리를 조금 더 유지하고 눈물을 머금을 혼자만의 시간이 새삼 반가울지도 모른다. 망설이고 있다면 지금 결심하고 이 가을이 끝날즈음 행하시라. 그래야 이별할 수 있다.

첫눈과의 진짜 헤어짐

< 여기 눈 와 >

잠시 눈발이 흩날렸다.

정확히는 흩날리다가 사라졌다.

카페에선 주인장이 유튜브를 통해 '가을에 듣기 좋은 노래 100선'을 틀어 주고 있을 때였다. 문득, 수많은 약속들이 음악을 타고 흘러갔다. 거의 이루어지지 않은 것들이 통째로 어떤 패키지가 되어 희미하게 눈앞에 당도한 듯 보였다. 더는 기억나지 않았지만 자꾸 기억하고 싶어지는 건 왜였을까.

카페를 나와서 조금 걸었다.

주머니에 손을 넣고 횡단보도에서 신호를 기다릴 때였다.

'여기 눈 와.'

베이지색 코트를 입은 이십 대 여자분이 누군가에게 흥분된 목소리로 지금을 알려주었다. 스쳐지나 왔기에 그다음 대화는 알 수 없었다. 아마 어디에서 몇 시에 보자 정도가 아니었을까. 눈이 온다고 기쁘게 알릴 사람이 있다는 건 아직 젊다는 뜻일 테다. 마음이 말이다 마음이 늙어버리면 눈이 오는 것이 반갑지가 않다. 숙제가 많은 사람도 눈 오는 것이 귀찮다.

생각해 봤다. 우린 왜 첫눈이 오면 만나지는 약속들을 했을까. 그리고 언제부터 그 약속을 하지 않았을까. 마치 착한 일을 하면 성탄절에 산타클로스 할아버지가 선물을 주신다는 부모님의 말씀처럼 진실과 상관없이 때 되면 꼭 등장하던 그 말. 그 약속들을 돌아봤다.

여학교만 15년을 다녔다. 대체로 그 약속은 성인이 되기 전에 빈번하게 반복했던 것 같다. 그러니까 매일 일정 시간을 보게 되는 친구들 사이에서 주로 오고 갔던 대화였다. 그 약속은 아마도 겨울이 오기 훨씬 전에 하게 되었을 것이다. 그러니까 우리 사이 지금의 감정이 그때까지도 변치 말기를 기원한다는 의미가 담겨 있는 것일 테다.

그땐 몰랐는데 중요한 조건 하나가 바로 같은 지역에 살아야 약속이 의미 있다는 것이다. 매일 같이 만나고 계절을 같이 지나오다 보니 첫눈의 시점 같은 건 변수가 아닐 정도의 거리 내에 살고 있었기에 약속이 가능했다는 점이다. 여기 눈이 온다고, 나에게는 첫눈인데 상대방 지역에서는 아닐 수 있으니까 말이다. 첫눈이라는 건 당연히 내 눈으로 확인해야 첫눈이니까.

대학생일 때도 별생각 없이 첫눈 오면 어디에서 만나자고 했다가, 또 누가 되었건 어디에서 만나자 했건 큰 구속력 없이 흐지부지 되었던 것 같다.

조금 웃긴 건, 첫눈이 오면 만나자고 했던 수많은 대상들, 그리고 장소들은 기억이 나지 않는데, 그때의 설렘들은 오롯이 기억이 난다는 것이다. 첫눈이 가지고 있는 대체불가의 낭만성, 첫눈이 내릴 때의 아련한 풍경, 첫눈이 사라질 때의 아쉬움, 누군가와 나누고 싶었던 소중한 마음... 이런 것들이 오랜 세월 빅데이터로 축적되어 마음은 벌써 촉촉해진다는 것이다.

그래서 나는 집으로 돌아오면서 정확하게 그리운 것이 무엇인지 질문해 보았다.

바로 첫눈도, 첫눈이 오면 만나자고 할 사람도, 첫눈이 오는 거리도 아닌....

'첫눈이 오면 만나자'는 말을 하고 싶었다는 것을 한참 후에 깨달았다. 이제는 촌스럽고 사라진 것 같은 그 말이 그렇게 그리웠을까. 그렇게 말하고 나면 어디선가 잊고 있었던 반가운 사람이 거짓말처럼 나타날지도 모르는 그 말. 노래 가사에도 있다.

슬퍼하지 말아요
하얀 첫눈이 온다고요
그리운 사람 올 것 같아
문을 열고 내다 보네

부치지 않을 편지를 썼다.

당신은 왜 나에게 첫눈이 온다고 말하지 않았나요? 아니 나는 왜 당신에게 첫눈이 온다고 알리지 않았을까요? 그렇게 말한다고 첫눈이 멈추거나 줄어들지도 않는 건데 우린 왜 아무것도 하지 않았나요? 꼭 이루어질 수 있는 약속만 해야 하는 건 아니잖아요?

당신과 나의 첫눈을 무심하게 보내버린 것 같아 뒤늦게 반성하는 마음으로 몇 자 적었습니다. 우리 다음번 첫눈이 오기 전에는 꼭 만나자는 약속을 하기로 해요. 꼭이요.

나 혼자 먼발치서 안녕

< 알고 싶지만 듣고 싶지는 않아 >

어느 날인가 신문을 보고 내가 알던 지인이 사망했다는 사실을 알게 되었다. 가슴이 철렁했다. 아는 지인의 부모님이 사망했다는 기사는 많이 보았지만 지인 당사자는 처음이었다. 이제는 인연도 희미해져 알았다고 한들 행동으로 옮기기는 뭐 한 사람이었다. 그땐 신문에 몇 줄 부음기사라도 실리려면 살아생전 업적이 있거나 해당 분야에서 유명한 사람이어야 가능한지 알았다. 부음기사도 광고라는 걸 미처 인지하지 못했다. 돈만 내면 누구라도 죽었다는 사실을 알릴 수가 있는 것이었다.

그가 죽었다고 해서 갑자기 내 일상이 바뀌거나 생활이 달라진 건 없었다. 어제까지도 연락 않고 잘 지내던 사람이었는데 오늘 죽었다 한들 새삼 무슨 영향을 끼칠 수 있을까 말이다. 그렇게 며칠이 지나고 한 달, 두 달, 계절이 바뀌었는데 나는 무언가 정리가 되지 않은 불편한 마음으로부터 차츰 병을 얻은 기분이 들었다. 그가 죽었다는 사실이 비밀도 아니고 내가 잘못한 일도 아닌데 나는 그 소식을 듣고 어찌할 줄을 몰랐다.

나는 그가 죽기를 원하지 않았던 것이다.

아니 살아 있는 동안 한 번은 만나보길 원했던 것이다. 그냥 막연하게 꼭 약속을 하지 않고서라도 나 혼자 먼발치서 보고는 싶어 했던 것이다. 나조차도 인식하지 못했던 그 마음을 알아차리는데 나는 오랜 시간이 걸렸다. 이젠 그 사람과의 관계에 있어서는 어떠한 희망도 존재하지 않게 되었다는 현실을.

나는 내 인생에서 어떤 시기를 정리하고 막을 내려야 했다. 아니 이미 내려진 막을 깨닫고 종결된 관계를 인정해야 했다. 사실 나는 그와 인연을 끊은 적도 없고 끊을 생각이 없었던 것인데 그 사실을 그의 죽음을 통해 깨닫게 된 것이니 그의 부음은 그 소식을 마땅히 들어야 할 사람에게 제대로 가 닿았다고 해야 할 것이다.

여하튼 나와 어떤 상의도 없이 그는 사라졌다. 그날 이후 나는 한동안 부음 기사를 확인하려고 신문을 보았다. 그리곤 또 다른 그가, 그녀가 없음에 안도를 했다. 그가, 그녀가, 그분이 죽었는데 내게 아무도 알려주지 않으면 어쩔까 싶어서였다. 어떨 땐 내가 기다리는 것이 누군가의 죽음인가 싶어 소름 끼칠 때도 있었다.

사실은 미안하고 고맙고 그리운 사람도 있다. 반찬을 골고루 먹지 않고 입이 짧기만 했던 어린 시절 꼭 생선살을 곱게 발라 터프하게 입에 넣어주던 사람이 있었다. 아파 죽겠다고 해도 꼭 때를 밀어주던 분이었다. 이름이 촌스러워 행자니 탱자니 매번 놀리곤 했었는데 나는 그분이 돌아가셔도 이제 알 방법이 없다. 이미 내가 알고 나를 만났던 누군가가 내가 모르는 채 죽었을지 모른다 생각하니 새삼 후회가 밀려온다.

다들 먹고살기 바쁘다 보니 이제 친척들을 부러 만나기가 쉽지가 않다. 특히나 노년을 보내고 계신 어르신들은 참 찾아가기가 애매하고 어색하기만 하다. 요즘은 명절이라도 직계가 아니고서는 더욱더 부담될 뿐이다. 얼추 나이를 계산해 보니 돌아가실 때가 된 분들. 이제라도 찾아가 보면 될 것 아닌가 싶다가도 어디서 어떻게 사는지도 모른다는 핑계로 발길은 떨어지지 않고 있다. 그렇게 이별이 아닌 척 헤어진 사람들이 점점 많아진다.

그 사람은 아직 살아 있을까.

당신의 성공을 거절합니다

< 성공은 이별의 조건 >

십 년 전쯤 소설 공부한다고 플롯을 만들고 할 때였다.

이야기는 주로 비극이었다.

한때 잘 나갔던 운동선수가 있었는데, 그는 어떤 사고를 치고 한적한 시골로 내려와 은둔생활을 한다. 그러던 중 아주 착한 여인을 알게 되고 그 여인은 심신이 망가진 한 남자를 돌보게 된다. 여인의 정성과 사랑, 보살핌으로 선수는 회복을 하고 다시 재기를 한다. 그는 어렵사리 그토록 원하던 팀에 들어가서 우승과 동시에 선수로서 최고상을 받게 된다. 그 소식을 듣고 누구보다 기뻐하던 여인은 그가 가장 좋아하는 음식들을 차려놓고 며칠을 기다린다. 하지만 그는 돌아오지 않고 연락도 주지 않는다. 여인은 더 이상 자신이 필요 없어졌다는 생각에 걸림돌이 되지 않기 위해 죽음을 택한다. 남자가 돌아왔을 때.... 돌아왔을 때...

어떻게 결말을 지을지 머리를 짜다가 너무나 진부하고 유치한, 70년대 영화(를 폄하하려는 건 아니다) 소재 같은 생각이 들어 쓰다 말았던 적이 있다. 대충 남자가 돌아가지 않고 여인의 죽음도 모른 채 이야기를 끝내려고 했던 걸로 기억난다. 남자는 여인의 어떤 소식도 접하고 싶지 않았던 것이다. 다시 돌아갈 수도 그렇다고 이곳을 떠날 수도 없었을 테니까.

사실 저 이야기 공식은 '남자의 성공에 기여한 역할의 여인이 버림받는다'는 한국 드라마의 단골 플롯이다. 남자의 직업이 무엇이건, 정도의 차이는 있겠지만 막상 잘되고 나니 마음이 변한다는 인간의 이기심에 초점이 맞추

124

어져 있다. 꼭 성공대상이 남성이 아니어도 두 사람 사이에서 어느 한쪽의 조건과 환경이 변하면 그 이전과는 같을 수가 없는 것이 인간관계 일 것이다.

그렇다면 요즘은 결말이 복수로 바뀌었을까?

살다 보면 우리 일반인들도 대단한 성공을 한 것은 아니지만 어느 한쪽이 잘 나갈 때 다른 한쪽은 상처를 받는 경우가 많다. 그런데 정작 태도와 언행이 달라진 그 사람은 자신의 변화를 인지하지 못하고 자신을 돌아보지 않게 된다. 외려 자신에게 찾아온 행운을 자기 노력의 결과로 치부하며 과거를 잊고자 애를 쓴다.

그래서 나는 성공했다고 누군가를 버린 그 사람이 차라리 망했으면, 망해 버렸으면 좋겠다는 생각을 한다. 돈을 덜 벌었거나 아직 무언가를 마련하지 못했기에 우리 더 노력하자 서로를 다독였을 때가 그립기 때문이다.

서로 같이 한 시간을 소중히 여기고 작은 선물에도 크게 고마워하던 당신이, 당신만 보던 누군가를 위해 기꺼이 울어주던 당신들이 어디 간 것일까. 그런 당신을 다시 느끼기 위해 어려웠을 때로 돌아가야 하는 것일까.

성공했기에 그 성공을 같이 한 사람이 보이지 않는 사람이라면, 그래서 바로 앞에 있는 상대가 소중하지 않게 된 거라면 나는 당신의 성공만은 절대 바라지 않는 사람이 되고 싶다.

당신의 성공을 기원한 지난시절을 기꺼이 후회한다. 시간은 우리를 기다려 주지 않고 자기 방식대로 흘러간다. 우리는 말로만 글로만 소중한 사람이라고 상대를 지칭한다. 하지만 실제로 아주 비싼 유리잔을 다루듯 소중하게 여기고 아끼고 제일 먼저 챙기지는 않는다. 우리는 혹시 지금 내 앞에 있는 상대를 그저 소중한 사람이라는 타이틀로만 존재하도록 내버려 두진 않았을까?

살다 보면 아무리 말해줘도 변화하지 않고서 늘 자신을 자책하는 반복에 빠지는 지인들을 보며 어찌할 수 없을 때가 있다. 가족이나 친지, 친구, 선후배나 동료에 속하는 일상 관계이기에 못마땅하다고 이제 그만 보자 할 수 없는 사이들이 그러하다. 평생 몸에서 빠져나가지 않을 바이러스라도 안고 가는 심정으로 그들과 함께 살아가야 한다.

그들이 그렇게 생긴 것을 인정하는 것, 생각보다 이 장르는 이성이 아닌 감정 쪽에 가깝고 막대한 에너지가 소모된다.

작가들은 평생에 걸쳐 천착하는 하나의 화두가 있기 마련인데 우리 일반인도 만나면 늘 한 방향을 향하는 대화 소재가 있다. 내가 미쳐버릴 것 같은 소재는 바로 평생 남편 탓을 하며 살면서 정작 그와 헤어지지는 않은 여인들의 하소연이다. 그녀는 아마 앞으로도 남편과 이혼 따위는 할 수 없을 것이다. 그렇기에 여전히 이혼하고 싶다는 말을 이어갈 것이다. 어떨 때는 이혼하기 위해서가 아니라 이혼하고 싶다는 말을 하기 위해 사람들을 만나는 것으로 보일 정도다.

사실 비슷한 결을 가진 화두는 의외로 많다. 조금 콘텐츠의 심각성을 낮추어 보면 여행을 가고 싶다, 살을 빼고 싶다, 담배를 끊고 싶다, 아이를 낳고 싶다. 운동을 하고 싶다 같은 실현가능성이 높은 소재들도 있다. 그런데 이렇게 하고 싶다, 안 하고 싶다 식의 이야기를 늘 반복하는 사람들의 특징이 있다.

바로 자신에 집중하지 않고 남들에 집중한다는 점이다.

남들이 생각하는 나, 남들이 보는 나, 남들처럼.... 남들에게 뒤처지 않는... 남부럽지 않은... 늘 남과 자신을 비교하고 어딜 가면 남 이야기만 한다. 남들의 불행을 단골로 소재 삼고 마치 공감하는 듯 이야기를 마무리한다. 그래서 세상 돌아가는 이야기도 실시간으로 가장 많이 알고 제일 빨리 전해 준다. 그러면서 자기가 늘 주장하는 그 한 가지는 다음번 만나도 여전히 이루지 못한 채 시간을, 세월을 보낸다. 그렇기에 자신이 하지 못한 것을 해낸 사람들이 가장 부러운 것이리라.

나에게 충고와 조언을 바라서 진지하게 해 주었는데 아무리 시간이 지나도 말만 듣고 그대로 하지 않는 사람이라면 다시는 만나지도 말라고 한 어느 스님이 기억난다. 사람들은 내 이야기를 듣고 그대로 하려고 묻는 것이 아니라 할 수 없는 핑계를 찾으려고 혹은 노력은 했다고 스스로에게 말하려고 묻는 것이라 했다. 그리하여 속으로는 이혼을 할지 안 할지 다 결정해 놓고 그냥 물어볼 뿐이라 했다. 절대 내 말을 듣고서 결정하려고 묻는 것이 아니라는 말씀이다. 아무리 아이가 있어도 누군가는 아이 때문에라도 이혼한다는 결정을 하고, 또 다른 이는 아이 때문에 이혼을 못한다고 하니까 말이다. 아이는 변수가 아니라 자기가 기우는 마음에 아이를 태우는 것일 뿐.

경제학자들에 의하면 인간은 새로운 것을 얻는 기쁨의 크기보다 이미 가지고 있는 것을 잃는 슬픔의 크기가 더 크다고 한다. 우리 모두는 현재 자신이 갖고 있는 것을 과감하게 놓아버리는 것이 어쩌면 가장 큰 일일지 모른다. 그것을 놓아야 새로운 문도 열리고 다른 상황도 기회도 오는 것인데 우리는 그다음에 대한 불안에 확신이 없기 때문에 어떡하지 하면서 그 사실을 여전히 꼭 쥐고 있다.

만나면 늘 이혼하고 싶다고 최선을 다해 자기 생각을 피력하는 그녀를 충분히 이해한다. 그래서 이젠 이혼은 더 이상 생각하지 말고 어떻게든 보유한 자원을 가지고 행복하게 잘 살아갈 궁리를 해보라 말했다. 어차피 무슨 말을 해도 듣지는 않을 것이니까 나도 피상적인 멘트를 날리게 되었달까. 그렇게 하여 결국 하루를 시달리고 지겨운 에너지를 뺏기고 돌아왔다. 논리도 순서도 없는 이야기를 마구 하다가 과거, 현재, 미래 이야기를 섞어서 하다가 하루의 끝에서 헤어졌다. 나는 며칠을 끙끙 앓다가 글로써 고자질을 하기로 했다.

또 얼마간은 조용하겠지만 일정 시간이 지나면 어김없이 반복될 것이다. 늙으면 하나씩 얻게 되는 여기저기 만성병 마냥 우리 주변엔 오늘도 이혼하고 싶어 하는 그녀들로 가득하다.

어쩌겠는가,
그들이 그렇게 생긴 것을 받아들이는 일.
나이 드니 아니어도 헤어지지 못하는 그와 그녀들이 얼마나 많은가.

가던 길을 멈추게 하는 그의 죽음

< 이럴 거면 주지말지 왜 빼앗아가요 >

연예인이 죽을 때마다 가슴이 철렁 내려앉는다.

대학교 2학년 때인가 아주 좋아하던 가수가 죽었다. 그가 죽기 전에 그의 죽음을 예견이라도 한 듯 길거리에서는 그의 노래가 하루 종일 흘러나오곤 했다. 그런데 그땐 내가 그 가수와 개인적으로 아는 사이도 아니고 노래는 계속 흘러나올 것이니 그의 죽음을 크게 생각진 않았던 것 같다. 그가 죽고 나서도 길거리에서는 변함없이 그의 노래가 흘러 다녔고 노래방에서는 똑같이 그의 노래를 선택하여 부르곤 했다.

이십 년 전인가 호텔에서 투신한 홍콩 배우의 죽음은 만우절이었기에 진짜로 거짓말처럼 느껴졌던 기억이 있다. 하지만 그 역시 스타의 사연에 깊게 공감하지 않아서였는지 그때도 그의 죽음이 놀랍기만 했을 뿐 슬픔의 느낌과는 조금 달랐다.

십오 년 전인가 최진실이 죽었다는 소식은 꽤 충격이 컸다. 그땐 네이버라는 포털이 있었고 악플이라는 사회악이 대중문화의 한 장르처럼 퍼져나갈 때였다. 옆 집의 누군가가 죽었다고 느껴졌고 내가 잘못한 무언가가 있는 것으로 다가온 죽음이었다. 그때부터였을까. 우린 필요 이상으로 한 연예인이 죽음을 선택하기까지 너무나 많은 것을 알게 되고 서로 공유하며 극대화하고 궁극엔 어떤 치정극을 보는 것 마냥 이 드라마의 끝은 죽음이 아닐까 예상하게 된 것이.

오늘 또 내가 좋아하던 배우가 죽었다. 그가 죽지 말기를 바랐다. 아니 죽지는 않을 것이라 믿었다. 하지만 돌아보니 어쩌면 막다른 골목에서 설마 죽음 같은 극단적인 선택은 하지 않겠지 하면서 그의 고통을 쓸쓸히 관전한 것은 아닐까. 혹시 대가 없이 사랑을 준 사람들에게 큰 실망을 안겼으니 그 정도는 마땅히 그의 몫이라고 여기진 않았나.

오늘 하루 종일 그의 소식을 듣고 일이 손에 잡히지도 않고 아무도 만나고 싶지 않아 어찌할 바를 모르겠다.

그가 했던 역할은 꽤 괜찮은 어른 남자의 모습이었는데 그래서 아직 세상은 살만한 것일지 모른다고 한때 그를 보며 혼자 중얼거렸었는데 그런 나에게 이러면 안 되는 거 아닌가. 이럴 거면 아예 희망 같은 건 주지도 말지 왜 이런 말도 안 되는 절망으로 희망의 추억들을 송두리째 앗아가나.

세상에 참 많은 이별이 있겠지만 일방적으로 당하고 마는 연예인의 죽음, 그로 인한 이별은 잠시 가던 길을 멈추게 하는 일시정지의 버튼만 같다. 어느 한 시절 노래 건 연기 건 그 순간 위로받았던 나만의 시간이 있었기 때문일 것이다. 잠시나마 그래도 세상엔 좋은 사람도 있다고 내일이면 나아질 것이라고 나에게도 좋은 날은 올 것이라고 믿게 한 그들이었기에 이렇게 속절없이 마음이 무너져 내리는 건 아닐까.